A CARDI

YOU CAN GO A LONG WAY

in learning everyday Italian through this book. A small, careful selection of the most widely useful words in the new language are put to work for you in key syntax patterns so that you will be able to master and apply them readily. These common words in their common sentence forms are made clear to you page by page with the help of pictures. . . . As you work with the book you will see that each page is part of a larger design, building systematically upon the pages which go before it. . . . New words will take on meaning as you proceed, and your knowledge of the language will develop.

See *Suggestions to the Beginner*.

ITALIAN

THROUGH PICTURES

by

I. A. RICHARDS
ITALO EVANGELISTA
CHRISTINE GIBSON

POCKET BOOKS, INC. • NEW YORK

This original CARDINAL edition, prepared especially for Pocket Books, Inc., is printed from brand-new plates made from newly set, clear, easy-to-read type.

Italian Through Pictures

CARDINAL edition published October, 1955
1st printing .... August, 1955

L

 Library of Congress Catalog Card Number: 55-9390. Printed in the U.S.A.

ITALIAN PRONUNCIATION

Here are a few hints about the pronunciation of Italian for those who are going to use this book without the help of a teacher or informant, or of phonograph records. Happily, there are no Italian sounds which will be found very difficult to approximate. Moreover, Italian spelling, unlike English, is very consistent. Once you are familiar with its conventions, you will always know how to pronounce Italian words when you see them in print. Open your mouth freely, speak fully and clearly, giving every sound its due; good enunciation is all-important. Every letter (except *h*) is sounded separately in Italian.

STRESS AND ACCENT

Here is a general rule helpful for the student to remember:

a) Most Italian words are stressed on the penultimate, i.e. next to the last, syllable,
b) Fewer on the third from the last (third person plural of all tenses of verbs),
c) And only a handful on the fourth from the last.
d) Words stressed on the last syllable, as, *città* (city), are marked with a grave accent (\`).

The grave accent is also used to mark:

a) Diphthongs, as, *giù* (down)
già (already)

b) and to distinguish

homonyms, as,	*dà*	(he gives)	*da*	(from)
	là	(there)	*la*	(the)
	sì	(yes)	*si*	(oneself)

No written accent is used on other words, except to discriminate between a few pairs that might be mistaken for one another, as *àncora* (anchor) and *ancora* (yet).

VOWEL SOUNDS

Italian has five vowel sounds. All of them are pure vowels. To get the right pronunciation of any one of them it is necessary to keep jaw, lips and tongue fixed during articulation.

A like the *a* of *father,* e.g. *pane* (bread).

E, open and broad, like the *e* of *there,* e.g. *erba* (grass), *severo* (severe); or closed like the *e* of *they,* e.g. *sete* (thirst).

I like the *i* of *machine,* e.g. *libro* (book).

O, open, like the *o* of *soft,* e.g. *collo* (neck); or closed, like the *o* of *rope,* e.g. *amore* (love), *voi* (you).

Remember: Unstressed vowels, unlike English, keep their pure sound.

The vowels *a, e* and *o* may combine with *i* or *u,* in which case the stress falls on the *a, e,* or *o;* e.g. *ieri* (yesterday); *piede* (foot); or the diphthong may be *iu* or *ui,* in which case it is the second vowel which is stressed, e.g. *giugno* (June); *guidare* (to guide).

CONSONANT SOUNDS

The following consonants are pronounced the same or nearly the same as in English: *b, d, f, l, m, n, p, t,* and *v.*

C before *a, o* and *u,* and before consonants is always hard like *k,* e.g. *casa* (house); *cose* (things).

C before *e* and *i* like *ch* in *chair,* e.g. *vicino* (near); *cestino* (basket).

CC before *a, o,* and *u* like double *k,* e.g. *ecco* (here it is).

CC before *e* and *i* like double *ch,* e.g. *accento* (accent).

CH before *e* and *i* is pronounced like *k,* e.g. *che* (what) and *chi* (who).

CIA, cio and *ciu* like *cha, cho* and *choo, e.g. cioccolata* (chocolate).

Rules governing the pronunciation of *g* are similar to those for *c.*

G before *a, o,* and *u,* and before consonants (except *l* and *n*) is pronounced like the *g* of *go,* e.g. *gatto* (cat). The sound of *g* when followed by *n* is much like that of *ni* before *on* in such words as *opinion, union;* and when followed by *l (gl)* it sounds like the *lli* of *billiards,* e.g. *bottiglia* (bottle).

G before *e* and *i* as in English in *gem* or as in *j,* e.g. *pagina* (page).

GG before *e* and *i* is pronounced like double *j,* e.g. *maggio* (May).

GH before *e* and *i* is pronounced like the *g* of *God.*

GIA, gio and *giu* as in *jar, joy* and *June* respectively, e.g. *giorno* (day).

H is always silent, but modifies the pronunciation of *c* and *g,* as seen above.

Q, always followed by *u,* is pronounced like the *qu* of *queen,* e.g. *questo* (this).

R represents the trilled *r,* produced through vibration of the tongue-tip against the sockets of the upper teeth, e.g. *radice* (root).

S sounds like the *s* of *sin,* e.g. *sera* (evening) ; between two vowels it is less hissing and is softer, e.g. *rosa* (rose) .

S followed by *b, d, g, l, m, n, r,* or *v* is sounded like the English *z,* as in *zebra.*

SCE, sci, scia, scio and *sciu* sound like *shey, shee, sha, sho* and *shoe,* e.g. *scialle* (shawl) .

Z sometimes soft as *ds,* e.g. *zona* (zone) ; and sometimes sharp like *ts,* e.g. *amicizia* (friendship) .

A final hint on consonants: When double consonants (*ll, mm, nn, pp, rr, ss,* etc.) occur, a stronger and longer sound stress is necessary in Italian than with the single consonant. It is almost as though the letter were pronounced twice, e.g. *cane, canne; dita, ditta.*

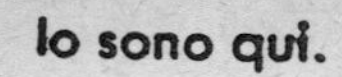

Io sono qui.

Égli è là.

Ella è qui.

Ella è là.

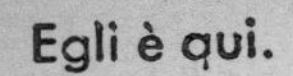

Egli è qui.

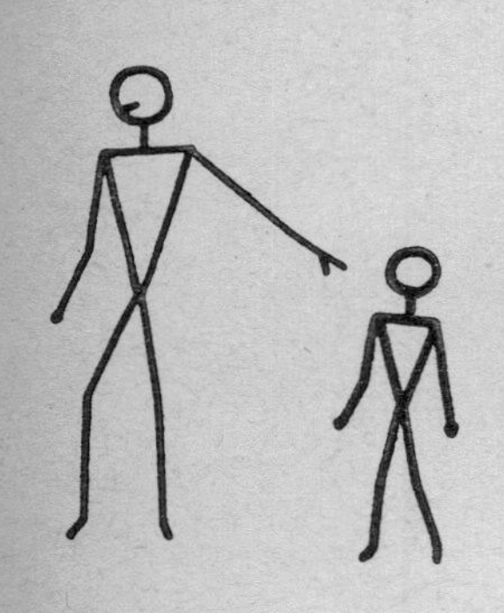

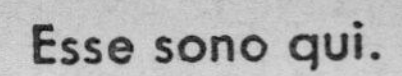

Esse sono qui.

Essi sono qui.

Essi sono là.

Esso è là.

Essi sono là.

Essa è qui.

Esse sono là.

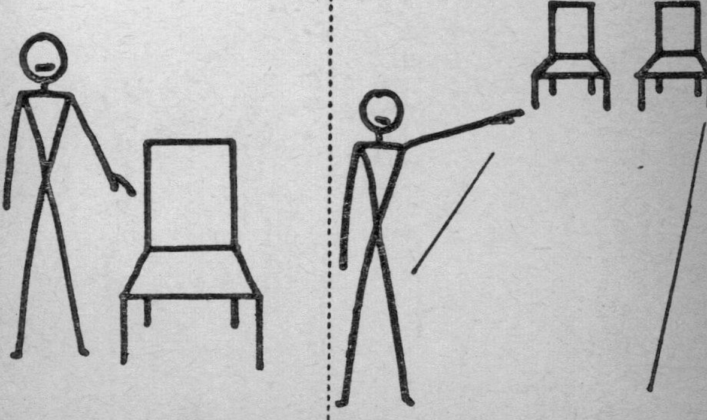

Lei è là.

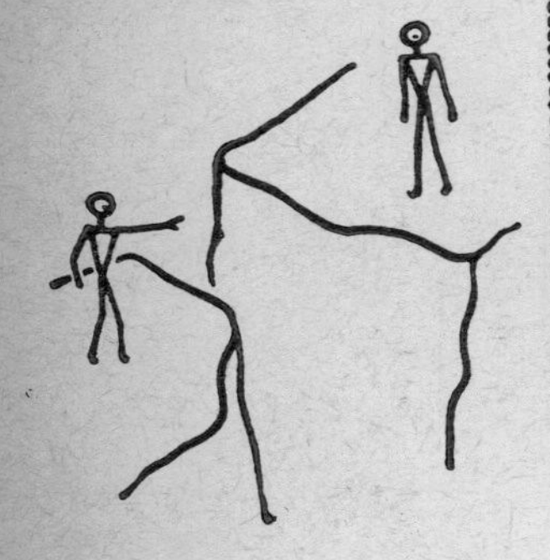

Voi siete là.

Lei è qui.

Noi siamo qui.

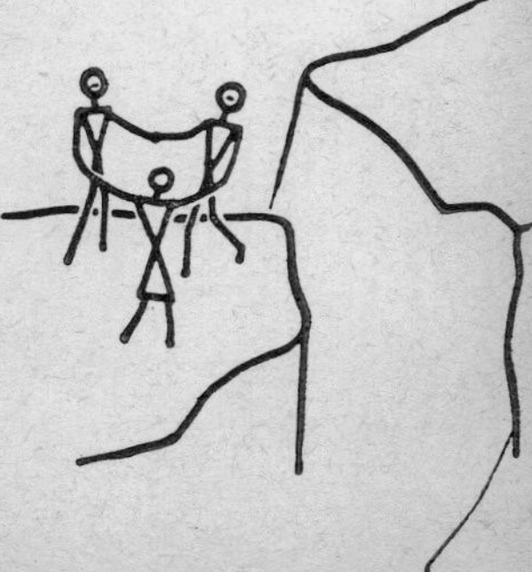

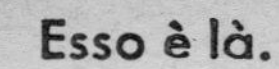
Esso è là.

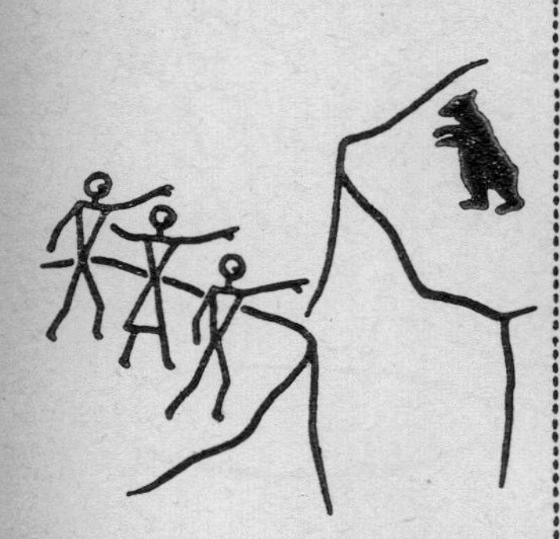

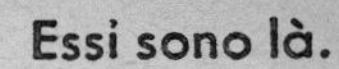
Essi sono là.

Noi siamo qui.

Essi sono qui.

Questo è un uomo.

Questa è una donna.

Quello è un uomo.

Quella è una donna.

Quest'uomo è qui.

Quell'uomo è là.

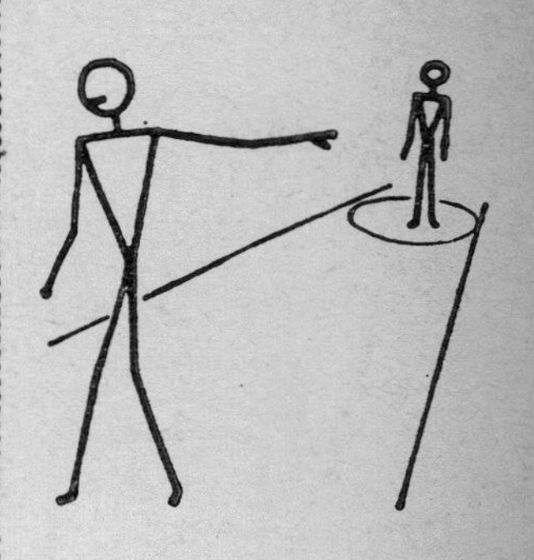

Questa donna è qui.

Quella donna è là.

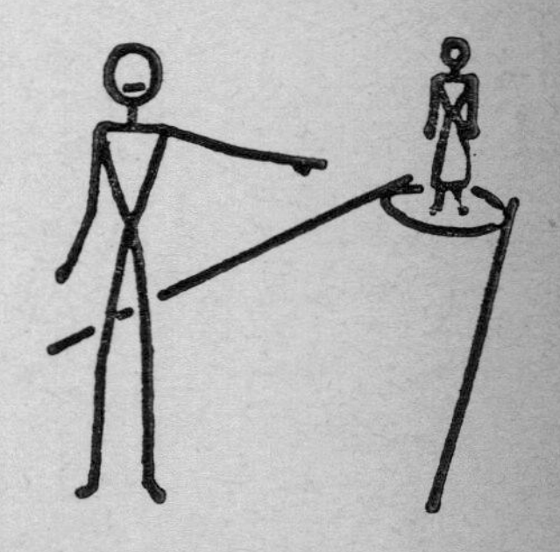

Questo è un tavolo.
Questo tavolo è qui.

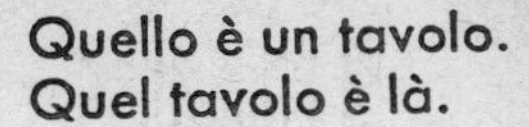

Quello è un tavolo.
Quel tavolo è là.

Questo è un cappello.
Esso è un cappello.

Questa è una mano.

Questo è il pollice.

Queste sono le dita.

Questa è la mia testa.

Questo è il mio cappello.

Il mio cappello è nella mia mano.
Esso è nella mia mano.

Il mio cappello è sulla mia testa.
Esso è sulla mia testa.

Questo è il mio cappello.

Quello è il suo cappello.

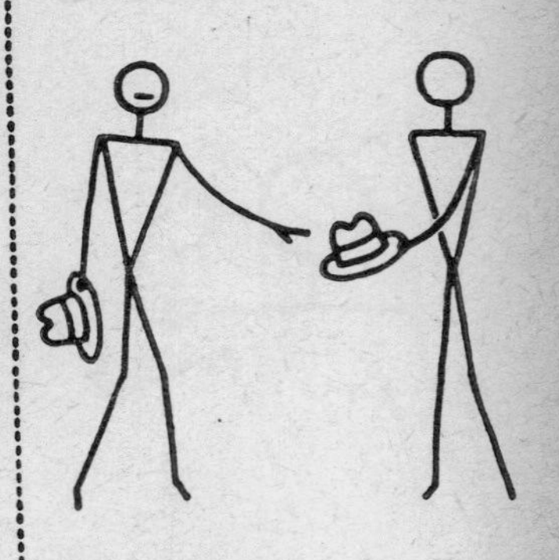

Il suo cappello è sulla sua testa.

Il suo cappello è nella sua mano.

Questo è il suo cappello.
Esso è sul tavolo.

Quelli sono i vostri cappelli.
Essi sono sul tavolo.

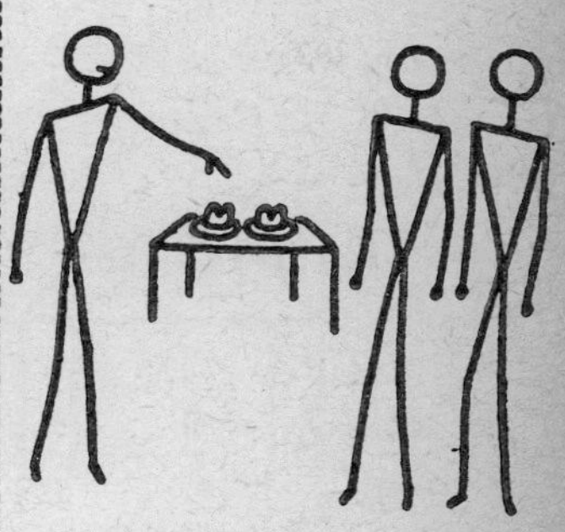

Queste sono le mie mani.

Questa è la mia mano destra.

Questa è la mia mano sinistra.

Quelle sono le sue mani.

Quella è la sua mano destra.

Quella è la sua mano sinistra.

Il suo cappello è sul tavolo.

Egli prenderà il suo cappello dal tavolo.

Egli lo prende dal tavolo.

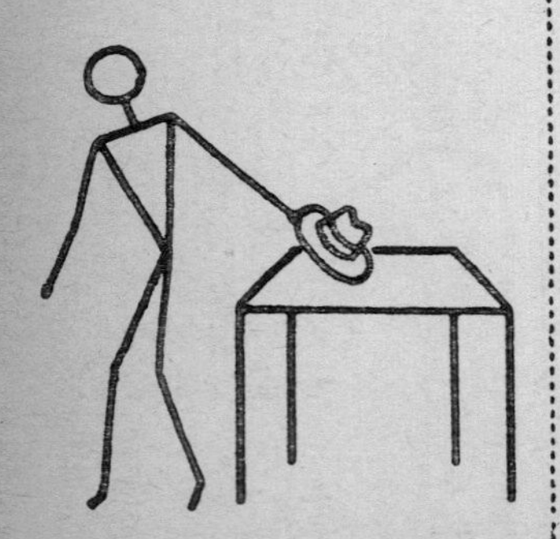

Egli lo ha preso dal tavolo.

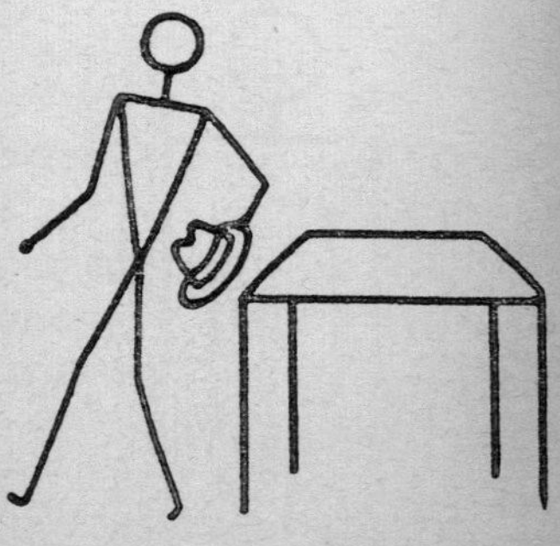

Egli si metterà il cappello in testa.

Egli si mette il cappello in testa.

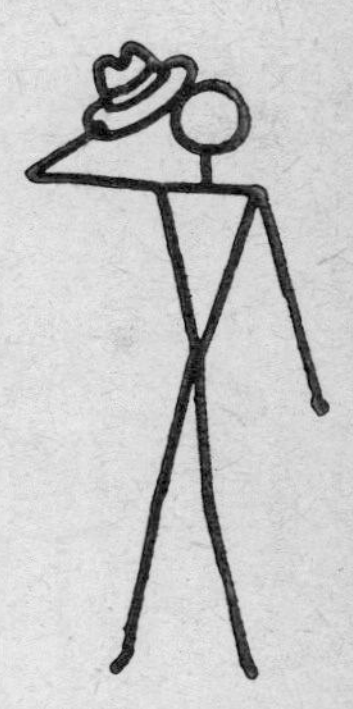

Egli si è messo il cappello in testa.
Egli se lo è messo in testa.

Esso era sul tavolo.
Esso è sulla sua testa.

Ella prenderà il cappello dalla sua testa e lo metterà sul tavolo.

Ella mette il cappello sul tavolo.

Ella ha preso e messo il cappello sul tavolo.

Il cappello era sulla sua testa. Adesso esso è sul tavolo.

Questo è un cappello.

Questi sono cappelli.

Queste sono mani.

Questo è un tavolo.

Questi sono tavoli.

Questo è un uomo.

Questi sono uomini.

Questa è una donna.

Queste sono donne.

Questo è un uomo.

Questa è la sua mano.

È la mano dell'uomo.

Questa è una donna.

Questa è la sua mano.

È la mano della donna.

Questo è un cappello da uomo.

Esso è sulla testa di un uomo.

Adesso è nelle mani dell'uomo.
È nelle sue mani.

Questo è un cappello da donna.

Esso è sulla testa di una donna.

Adesso è nelle mani della donna.
È nelle sue mani.

Egli darà il suo cappello all'uomo.

Egli dà il suo cappello all'uomo.

Egli lo ha dato all'uomo.
L'ha dato a lui.
(Glielo ha dato)

Adesso esso è nelle mani dell'uomo.

L'uomo darà il suo cappello alla donna.

Egli dà il suo cappello alla donna.

Egli l'ha dato alla donna.
L'ha dato a lei.
(Glielo ha dato)

Adesso è nelle mani della donna.

La donna metterà il cappello sul tavolo.

Ella lo mette sul tavolo.

Ella lo ha messo là.
Ce lo ha messo.

Esso era nella sua mano.
Adesso è sul tavolo.

Questa è una nave.

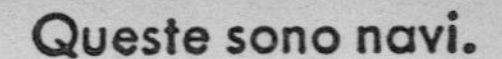

Queste sono navi.

Questa nave è nella bottiglia.

Queste navi sono sull'acqua.

Questa è acqua.

Questa è acqua. Questa è una bottiglia.

La bottiglia è nella mano di un uomo.

Questo è un bicchiere. L'acqua è nel bicchiere.

Il bicchiere è sul tavolo.

Egli prenderà il bicchiere dal tavolo.

Egli ha preso il bicchiere dal tavolo.

Questa è una bottiglia

e questa è una bottiglia.

Queste sono bottiglie.

Questo è un bicchiere

e questo è un bicchiere.

Questi sono bicchieri.

Quello è un uccello

e quello è un uccello.

Quelli sono uccelli.
Essi sono uccelli.

Quell'uomo e quella donna sono là.

Quest'uomo e questa donna sono qui.
Essi sono qui.

Questo è un uomo.

Questi sono i suoi piedi.

Questo è un braccio.

Questa è una gamba.

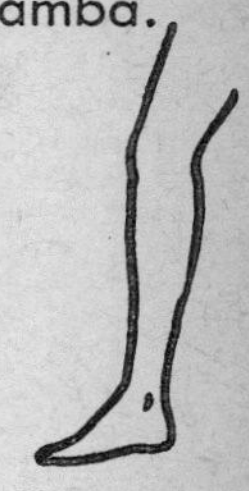

Questo è un piede.

Questo è un tavolo.

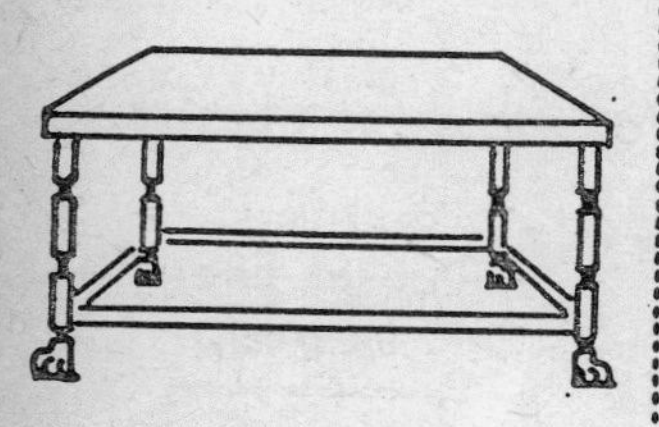

Queste sono le sue gambe.
Il tavolo ha quattro gambe.
I suoi piedi sono sul pavimento.

Questa è una sedia.

Queste sono le sue gambe.
La sedia ha quattro gambe.
I suoi piedi sono sul pavimento.

Questa è una stanza.

Queste sono le finestre della stanza.

Questa è una finestra e questa è una finestra.

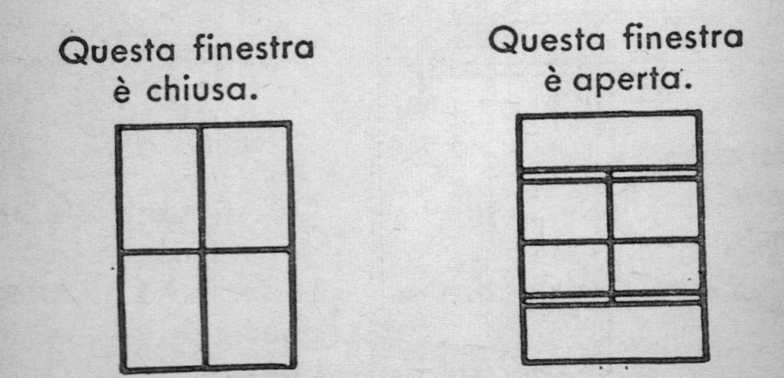

Questa porta è aperta.

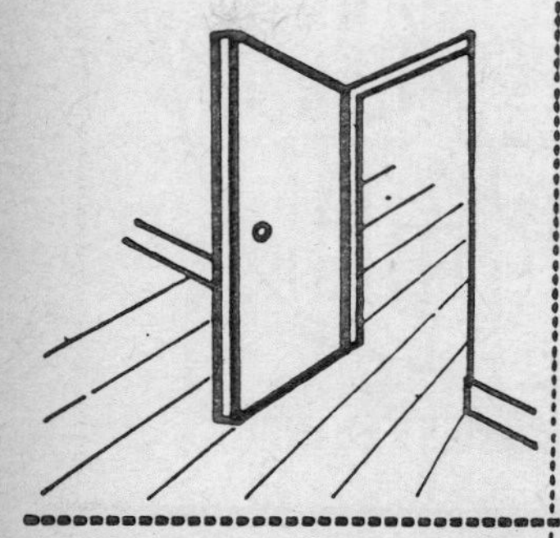

Questa porta è chiusa.

Questa è una parete della stanza.

Su questa parete vi è un quadro.

Questa è una parete.

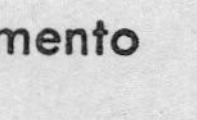

Questo è il pavimento della stanza.

Questo è un quadro.

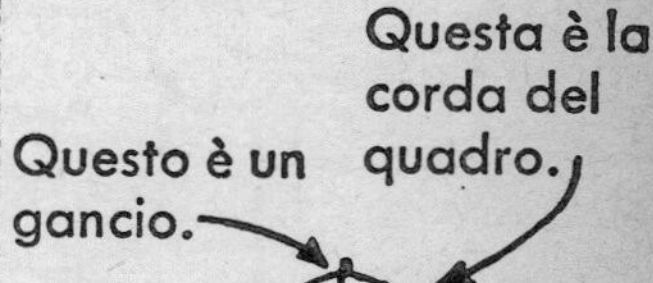

Questa è la corda del quadro.

Questo è un gancio.

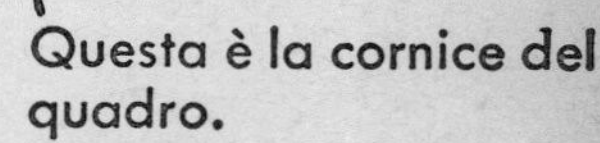

Questa è la cornice del quadro.

Questa è una casa.

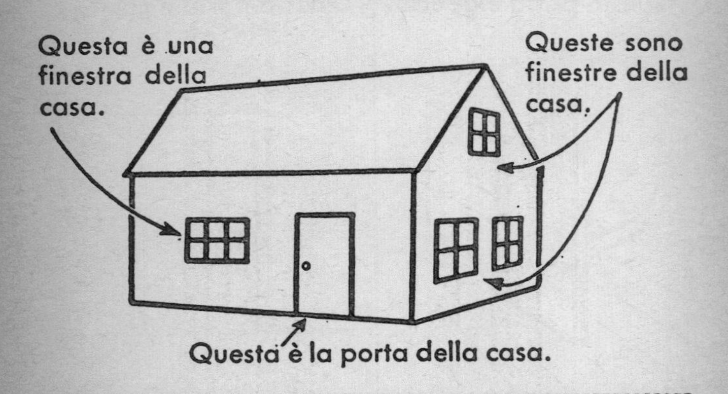

L'uomo andrà
a casa sua.
Egli va
a casa sua.
Egli è
andato
a casa sua.
Egli è là.
Egli è
andato là.
Egli è davanti alla porta.
Egli è davanti alla porta
di casa sua.
Egli era qui.

"Che cos'è questo?"

"È un cappello."

"Che cos'è questo?" è una domanda.
"È un cappello" è una risposta.

Questo è un punto interrogativo.

?

Noi mettiamo i punti interrogativi dopo le domande.

"È questo un cappello?"
Questa è una domanda.

"Sì, lo è."
Questa è una risposta.

"È un cappello questo?"

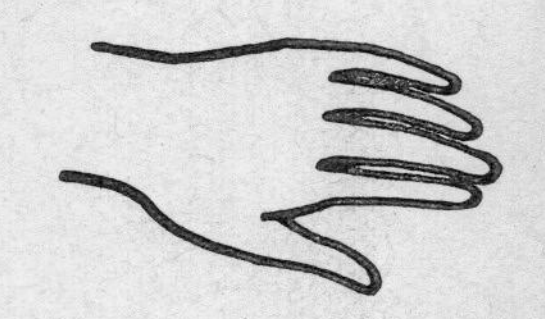

"No, non è un cappello; è una mano."
Questa è una risposta.

DOMANDE

a. Che cos'è questa?

Essa è una casa.
È una casa.

b. Che cos'è questa?

È ____________

c. Che cos'è questo?

d. Che cos'è questa?

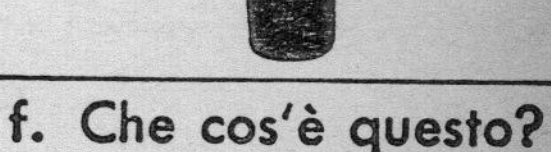

e. Che cos'è questa?

f. Che cos'è questo?

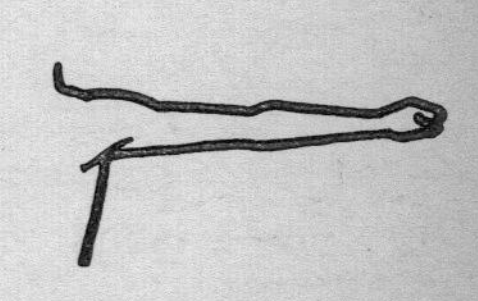

g. Che cos'è questa?

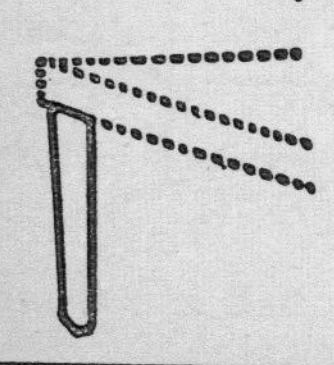

h. Che cos'è questa?

Questa pagina è la pagina 29. Le risposte sono a pagina 32.

DOMANDE

Questa pagina è la pagina 30. Le risposte sono a pagina 32.

DOMANDE

a. Il cappello è sul tavolo?

b. L'uomo è nella stanza?

c. Il quadro è sulla parete?

d. L'uccello è sulla sedia?

e. Il bicchiere è nella mano della donna?

f. L'acqua è nel bicchiere?

g. Questa nave è in una bottiglia?

h. L'uomo e la donna sono davanti alla porta?

Questa pagina è la pagina 31. Le risposte sono a pagina 32.

Queste sono le risposte alle domande a pagine 29, 30 e 31. Questa pagina è la pagina 32.

Pagina 29

b. ....una nave.
c. È un tavolo.
d. È una bottiglia.
e. È una gamba.
f. È un braccio.
g. È una gamba di un tavolo.
h. È una sedia.

Pagina 30

a. Sono tre uomini. È una donna.
b. Sono bicchieri. È un bicchiere.
c. Sono dita. È il pollice.
d. Sono finestre. È una porta.
e. Sono case. È una strada.
f. È un quadro. È la sua cornice.
g. Sono piedi. È un piede.
h. È una stanza. C'è un tavolo.

Pagina 31

a. Sì, è sul tavolo.
b. Sì, c'è.
c. No, non è sulla parete; è sul pavimento.
d. No, è sul pavimento.
e. No, è nella mano dell'uomo.
f. No, l'acqua non è nel bicchiere.
g. No, è sull'acqua.
h. Sì, essi sono davanti alla porta.

Che cos'è questo?
È un orologio.
Che ora è?
È l'una.
Una lancetta è sull'una.

Che ora è?
Sono le due.
Era l'una.
Saranno le tre.

Che ora è?
Sono le quattro.
Erano le tre.
Saranno le cinque.

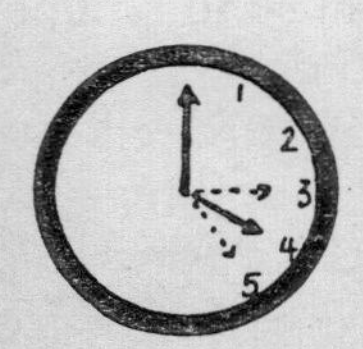

Che ora è?
Sono le sei.
Erano le cinque.
Saranno le sette.

Che ora è?
Adesso sono le otto.
Erano le sette.
Saranno le nove.

Che ora è?
Adesso sono le dieci.
Erano le nove.
Saranno le undici.

Che ora è?
Sono le dodici.
Erano le undici.
Sarà l'una.
Adesso le due lancette
sono sulle dodici.

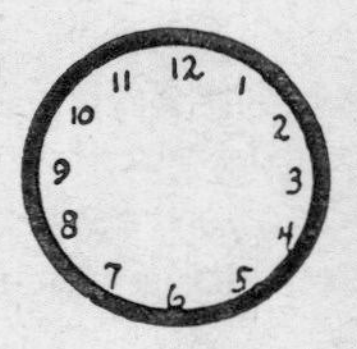

Questi sono i numeri da
uno a dodici: uno, due,
tre, quattro, cinque, sei,
sette, otto, nove, dieci,
undici e dodici.

Che sono le cose?

Una casa è una cosa.
Le case sono cose.

Un cappello è una cosa.
I cappelli sono cose.

Le porte e le finestre
sono cose.
I tavoli e le sedie sono
cose.

Questo è un uomo.

Questa è
una donna.

Questo è
un ragazzo.

Questa è
una ragazza.

Uomini e donne, ragazzi
e ragazze non sono
cose, sono persone.

Vi sono due persone in
questa stanza.
Essi sono un ragazzo e
una ragazza.

La ragazza è davanti
alla porta.
Il ragazzo è alla
finestra.

La ragazza andrà alla
finestra.

Ella sarà alla finestra
con il ragazzo.
Sarà con lui alla finestra.

La ragazza va alla finestra.
Dov'era?
Ella era qui.

Ella è andata alla finestra.
Adesso dov'è?
È alla finestra.

Ella è con il ragazzo.

Essi sono alla finestra insieme.

Ella è con lui alla finestra.
Egli è con lei alla finestra.

Questi libri sono insieme sullo scaffale.

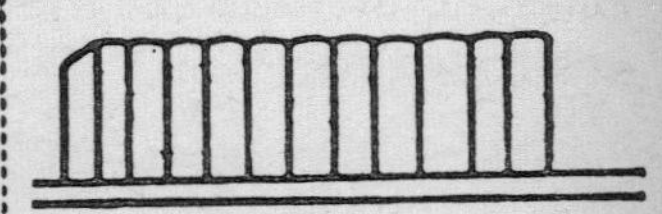

Questi libri non sono insieme.
Essi sono sullo scaffale, ma non sono insieme.

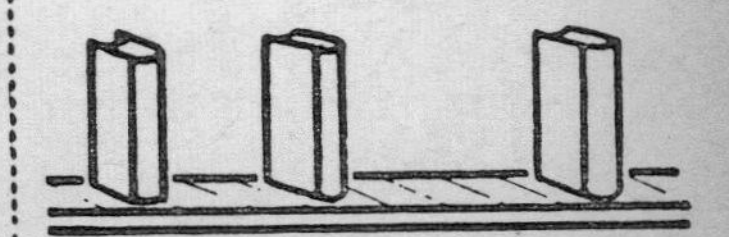

La ragazza e il ragazzo andranno via dalla finestra.

Essi vanno via dalla finestra.
Essi erano alla finestra.

Essi sono andati via dalla finestra.
Ella è andata con lui ed egli è andato con lei.

Adesso essi sono davanti alla porta insieme.
Il ragazzo è con la ragazza davanti alla porta.

Questa è la mia testa.

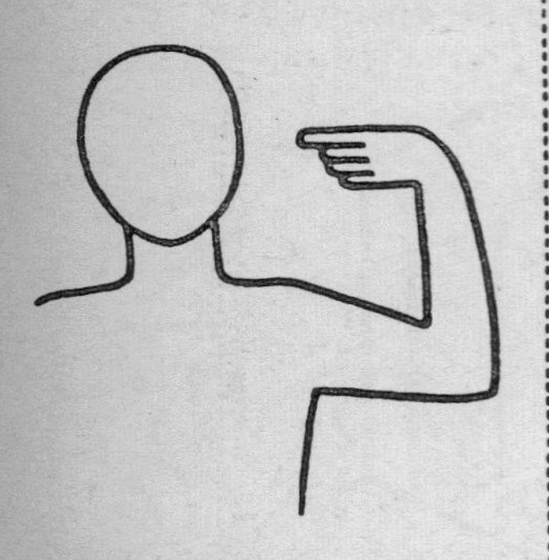

Quella è la sua testa.

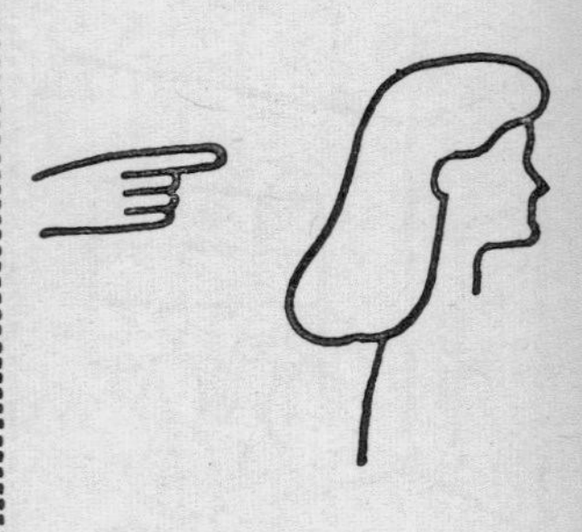

Questi sono i miei occhi.

Questo è un occhio.

Questo è l'altro occhio.

Quelli sono i suoi occhi.
Essi sono aperti.

Quelli sono i suoi occhi.
Essi sono chiusi.

I miei occhi sono aperti.
Io vedo.
I suoi occhi sono chiusi.
Ella non vede.

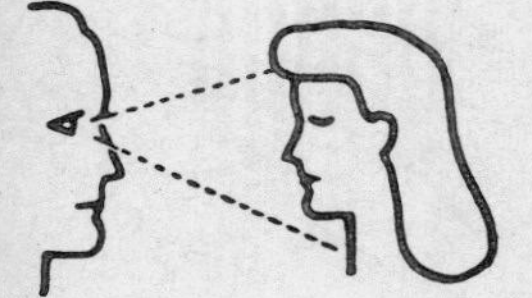

Io la vedo.
Ella non mi vede.

Adesso i suoi occhi sono aperti.
Ella vede.
Che cosa vede?
Ella mi vede. Ella vede me.

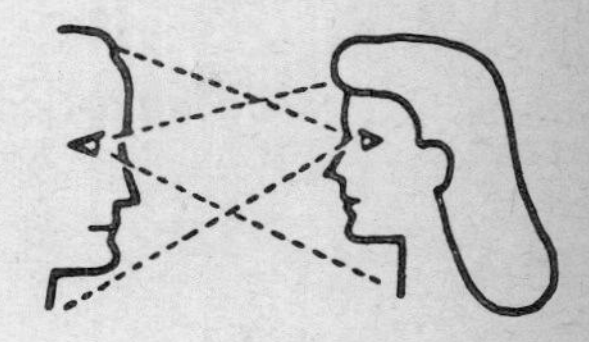

Io la vedo.
I nostri occhi sono aperti.

I suoi occhi sono aperti.

Ella vede.
Essi erano chiusi.
Ella non ha visto.
Ella non mi ha visto.

I suoi occhi sono chiusi.

Essi erano aperti.
Ella ha visto.
Che cosa ha visto?
Ella mi ha visto.
Ella ha visto me.

 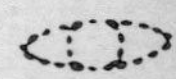

Un uomo ha due occhi.
Io ho due occhi.

Questi sono i miei occhi.

Un uomo ha un naso.
Io ho un naso.

Questo é il mio naso.

Un uomo ha una bocca.
Io ho una bocca.

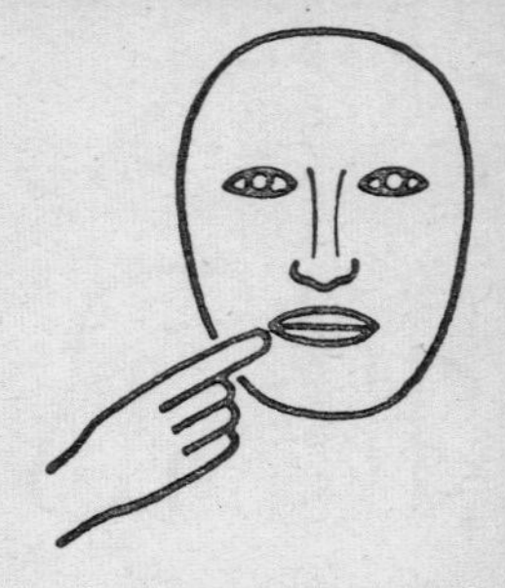

Questa è la mia bocca.

La bocca di quest'uomo
è aperta.
Egli dice: "Bocca."

La sua bocca è chiusa.
Egli non dice: "Bocca."

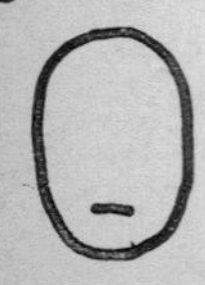

La sua bocca è chiusa.
Egli dirà: "Bocche."

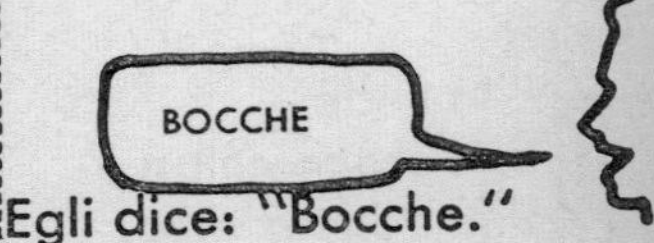

Egli dice: "Bocche."

Egli ha detto: "Bocche."
Adesso egli non dice:
"Bocche."
La sua bocca è chiusa
nuovamente.

Questi sono tre libri.

Essi sono sullo scaffale.

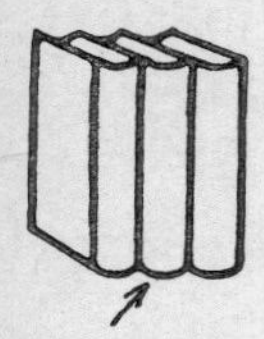

Questo libro è tra gli altri due libri.

Io ho il libro nella mia mano.
Esso era sullo scaffale.
Era sullo scaffale tra gli altri due libri.

Questo libro è aperto.
Queste sono le pagine del libro.

Questa pagina è tra queste due pagine del libro.

Queste sono le dita della mia mano.

Questo dito è tra queste due dita della mia mano.

L'uomo ha una faccia.
Questa è la mia faccia.

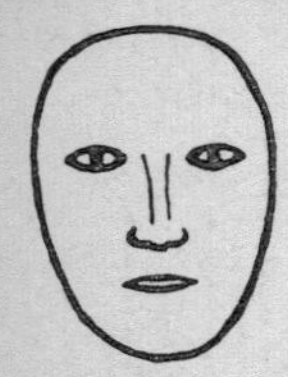

Il mio naso è tra i miei occhi.
Esso è tra i miei occhi e la mia bocca.

La mia bocca è sotto il mio naso.

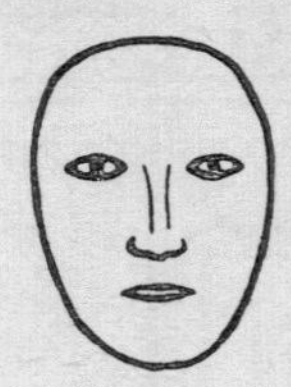

Il mio naso è sopra la mia bocca.
I nostri nasi sono sopra le nostre bocche.

Questa è la testa dell'uomo.

Questa è la sua faccia.

I suoi occhi, il suo naso e la sua bocca sono parti della sua faccia.

La luce è sopra il tavolo.

Il cane è sotto il tavolo.

Il tavolo è tra la luce e il cane.

Questi sono i capelli di un uomo.

Essi sono corti.

Questi sono i capelli di una donna.

Essi sono lunghi.

Queste sono le sue orecchie.

Dove sono le sue orecchie?

Esse sono sotto i suoi capelli.

I suoi capelli sono sopra le sue orecchie.

Che ora è?
Sono le sette e venticinque.

L'orologio ha due lancette, una lunga ed una corta.

La lancetta lunga è alle cinque.

La lancetta corta è tra il sette e l'otto.

Le lancette sono parti dell'orologio.

Questo orologio è sulla parete.

Esso è sopra lo scaffale.

Tre libri sono sullo scaffale.

Io ho un libro in mano.

Io lo metto tra gli altri due libri.
È con gli altri libri.

Adesso esso è sullo scaffale nuovamente.

Prima era nella mia mano.
Io l'avevo in mano.
Adesso non è nella mia mano.
Dov'è?

Questa è una stanza.

Che cosa vede nella stanza?

Vede il pavimento e tre pareti della stanza?

Li vede?

Vede una porta e due finestre?
È aperta una delle finestre?
L'altra finestra è chiusa?

Vede due sedie e uno scaffale tra di esse?
Vede l'orologio sopra lo scaffale? Sì, li vedo.

Tutte queste cose sono nella stanza.
La stanza è nella casa.

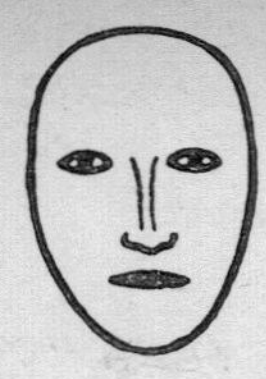

Questa è una faccia.
Gli occhi, il naso e la bocca sono parti di una faccia.
Quali sono gli occhi?
Qual'è il naso?
Qual'è la bocca?

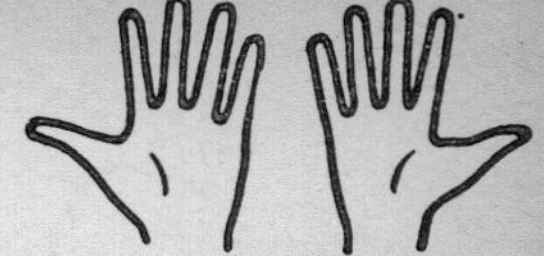

Queste sono le mie mani.
Qual'è la mia mano destra?
Qual'è la mia mano sinistra?

Qual'è il mio pollice?

Quali sono le mie dita?

Questo è un uomo.
Quali sono le sue braccia?
Quali sono le sue mani?
Quali sono le sue gambe?
Quali sono i suoi piedi?

Questa è la sua testa.

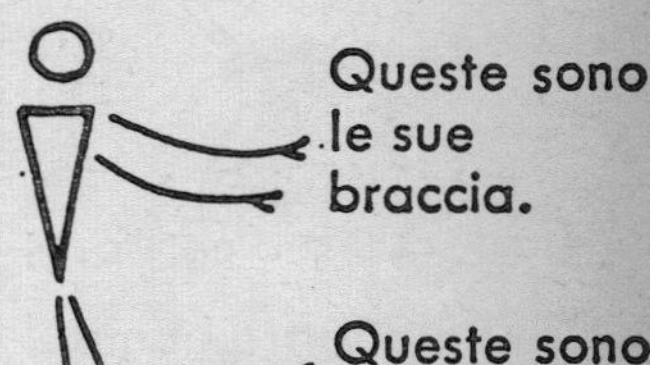

Queste sono le sue braccia.

Queste sono le sue gambe.
Questi sono i suoi piedi.

Questa è una donna.
Questo è il suo corpo.

La testa, le braccia, le gambe e il tronco sono parti del corpo umano.

Questo è il suo corpo.

Ella ha un corpo.

Tutti gli uomini, le donne, i ragazzi e le ragazze hanno un corpo.

Questo cane ha un corpo.

Questa è la sua coda.

Questo è il suo corpo.

Esso ha quattro gambe, una testa e una coda. Esso non ha braccia e mani, ma ha zampe. La testa, il tronco, le gambe e la coda sono parti del corpo del cane.

Questa è la testa di un cane.

Qual'è la sua bocca?
Quali sono i suoi occhi?
Quali sono le sue orecchie?
Qual'è il suo naso?

Questo è un piede.

Queste sono le dita.

Esse sono parti di un piede.

Questo è un dito.

Questa è una gamba.

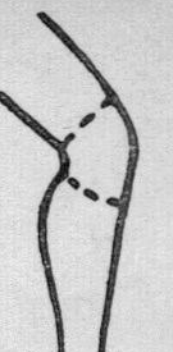

Questo è un ginocchio.

Esso è una parte della gamba.

Questa parte della gamba è un ginocchio.

Le gambe sono parti del nostro corpo.

Questo è un collo.

Esso è una parte del corpo umano.
È tra la testa e il tronco.

La parte che è tra la testa e il tronco è il collo.

Questa è la testa di un uomo.

Questo è il mento.
Esso è sotto la bocca.
È una parte della faccia.
La parte che è sotto la bocca è il mento.

Questo è il corpo di un uomo.
La parte che è tra la testa, le braccia e le gambe è il tronco.

Questo è il tronco.

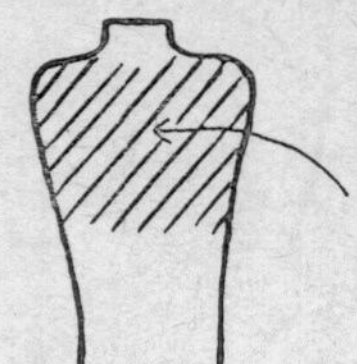

Questa parte è il petto.

Quest'uomo ha il dito sul mento.

Quest'uomo ha la mano sul petto.

Questo bambino è sulle mani e sulle ginocchia.

Questo bambino è sulle mani e sui piedi.

Questo bambino è in ginocchio.

Questo bambino è in piedi.

DOV'È IL CANE?

a.

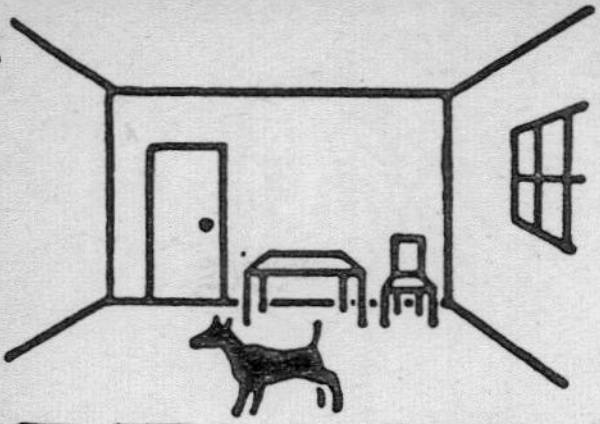

b.

c.

d.

e.

f.

g.

h.

Le risposte a queste domande sono a pagina 53.

DOMANDE CHE COSA VEDE?

a.

b.

c.

d.

e.

f.

g.

h.

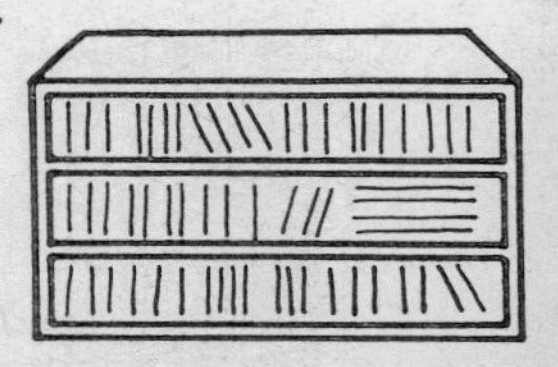

Le risposte a queste domande sono a pagina 53.

DOMANDE — CHE COSA DICE?

a.

b.

c.

d.

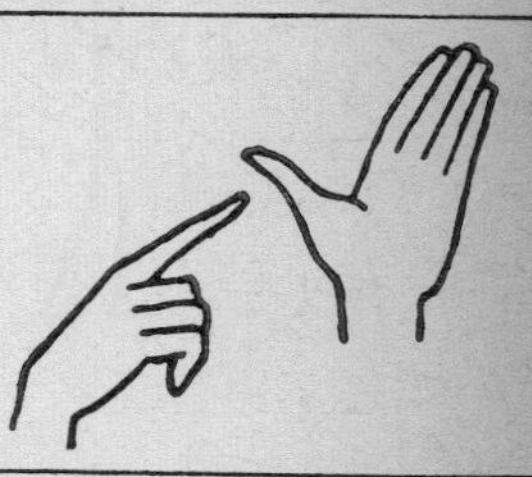

e.

f.

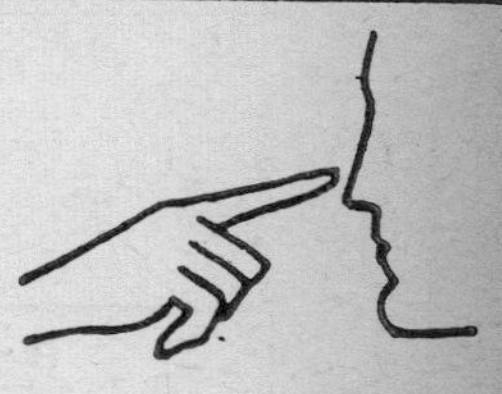

g.

h.

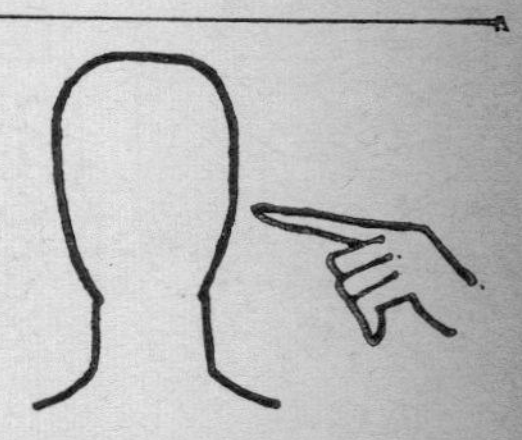

Le risposte a queste domande sono a pagina 54.

DOMANDE CHE COSA VEDE?

a.

b.

c.

d.

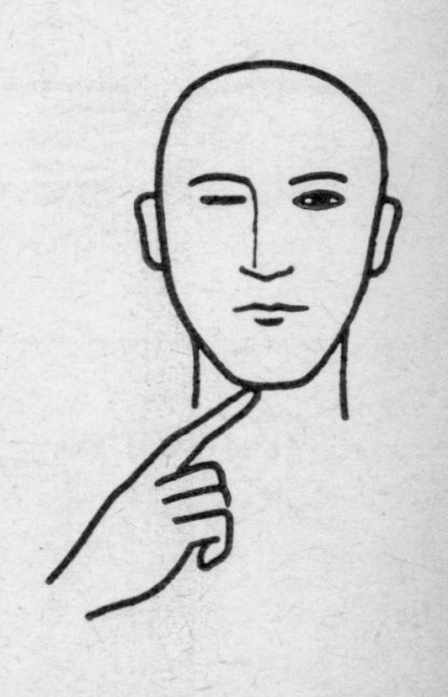

Le risposte a queste domande sono a pagina 54.

Le risposte alle domande a pagine 49-50.

Pagina 49

a. Il cane è in una stanza.
b. Esso è davanti alla porta.
c. Esso è alla finestra.
d. Esso è sotto la sedia.
e. Esso è sotto il tavolo.
f. Esso è sul tavolo.
g. Esso è tra il tavolo e la sedia.
h. Esso è sulla sedia.

Pagina 50

a. Io vedo un orologio. Sono le quattro.
b. Io vedo la faccia di un uomo.
c. Vedo una faccia di donna.
d. Io vedo un bambino. Egli è in ginocchio.
e. Vedo due libri. Uno è aperto; l'altro è chiuso.
f. Io vedo due ragazze. Una dà il libro all'altra.
g. Io vedo due bambini. Uno è sulle mani e sulle ginocchia; l'altro è in piedi.
h. Io vedo uno scaffale.

Le risposte alle domande a pagine 51-52.

Pagina 51

a. Egli dice: "Queste sono le mie orecchie."

b. Egli dice: "Questa è la mia bocca."

c. Egli dice: "Questi sono i miei occhi."

d. Egli dice: "Questo è il mio pollice."

e. Egli dice: "Questo dito è tra queste dita."

f. Egli dice: "Questo è il mio naso."

g. Egli dice: "Questi sono i miei capelli."

h. Egli dice: "Questa è la mia testa."

Pagina 52

a. Io vedo un ragazzo ed una ragazza. Essi sono alla finestra.

b. Io vedo un orologio sul tavolo. Sono le quattro.

c. Io vedo una stanza. In essa vi sono due sedie, due finestre e una porta. Una delle finestre è aperta; l'altra è chiusa. La porta della stanza è aperta. Un quadro è sulla parete.

d. Io vedo un uomo. Egli ha un dito sul mento. Uno dei suoi occhi è aperto; l'altro è chiuso. La bocca è chiusa. Non ha capelli.

Ecco una casa.

Essa è la casa del signor Giovanni Bianchi.
Il numero della casa è 35.
Esso è sulla porta della casa.
Vi sono due alberi davanti alla casa del signor Bianchi.

Quante finestre e porte vede?
La porta è chiusa?
Le finestre sono aperte?
Qual'è il numero della casa?

Chi è quest'uomo? Egli è Giovanni Bianchi.
Il suo nome è Giovanni Bianchi.
Dov'è Giovanni Bianchi?
È davanti alla porta di casa sua.

Egli mette la mano in tasca.

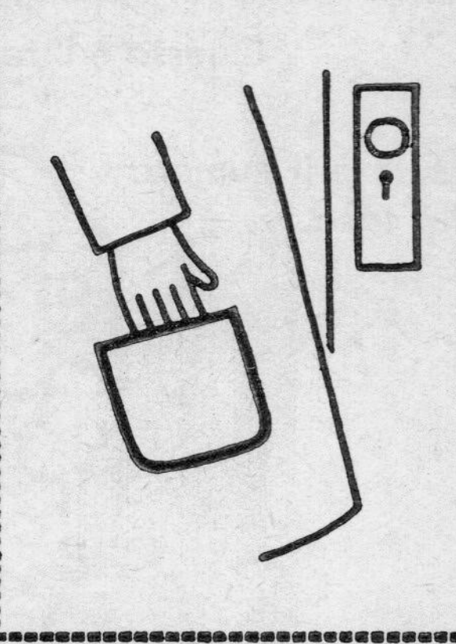

Egli prende una chiave dalla tasca.

Questa è una chiave.

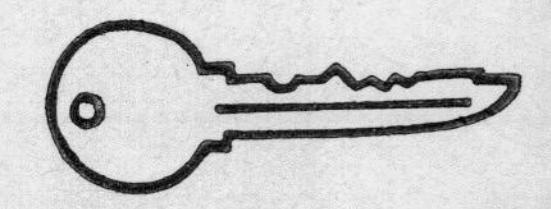

Queste sono altre chiavi.

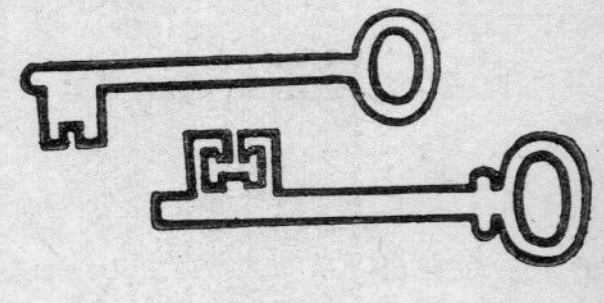

Egli metterà la chiave nella serratura della porta.

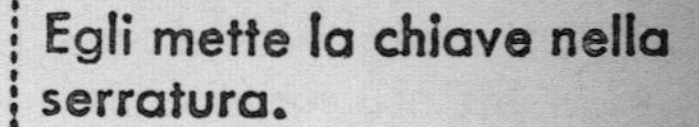

Egli mette la chiave nella serratura.

Egli dà un giro di chiave.
Egli gira la chiave.

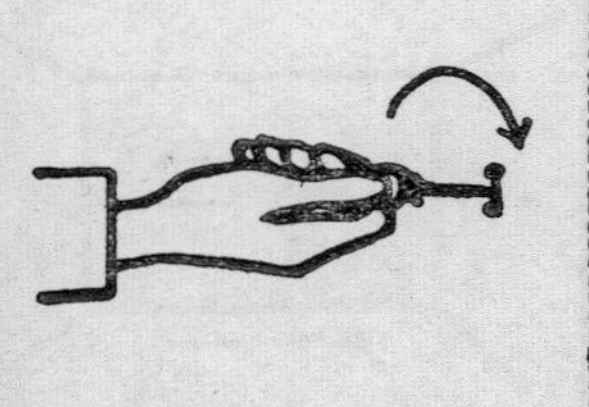

Egli apre la porta.
Adesso la porta è aperta.

Giovanni ha preso la chiave dalla serratura.
Egli la mette in tasca.
Egli entrerà nella casa.

Egli entra nella casa.

Egli è entrato nella casa.
Egli è in casa.
La porta è chiusa.

Questa è una stanza della casa.
Giovanni è nella stanza?
No, non c'è.
Egli entrerà nella stanza.

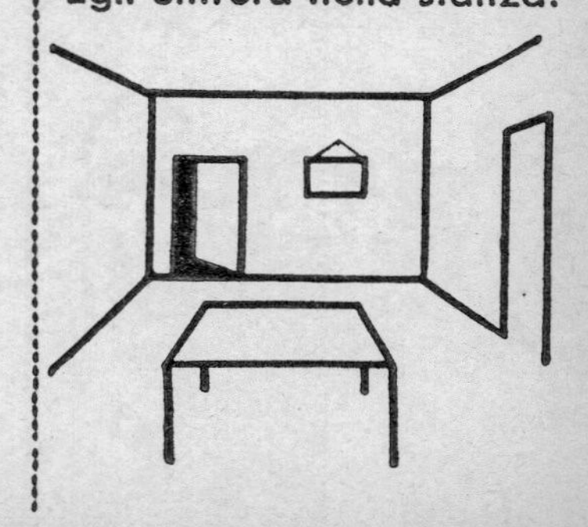

Egli entra nella stanza.
Egli andrà al tavolo.

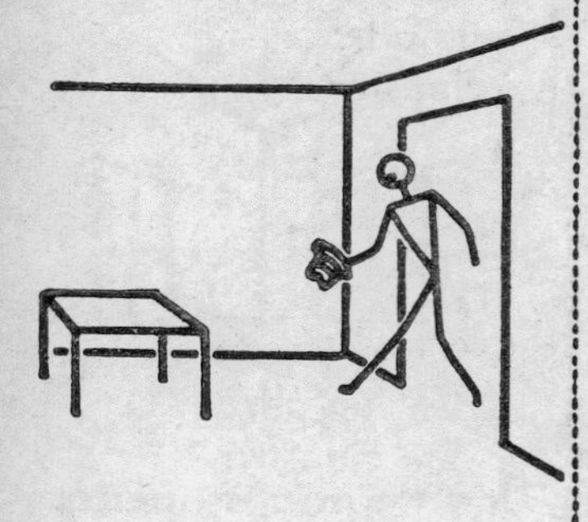

Il signor Bianchi è entrato nella stanza.
Egli è andato al tavolo.

La signora Bianchi è nella stanza?
No, non c'è.

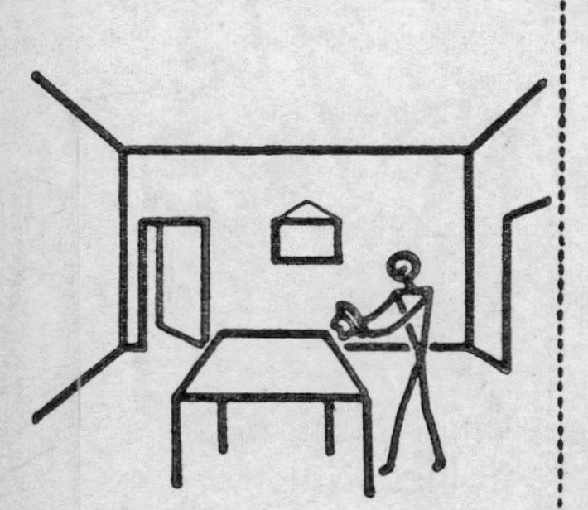

Ella è in casa, ma non è nella stanza.
Ella è in un'altra stanza della casa.

Chi è questa donna?
È Maria Bianchi, la signora Bianchi.
Il suo nome è Maria Bianchi.

Questa è una delle porte della stanza.

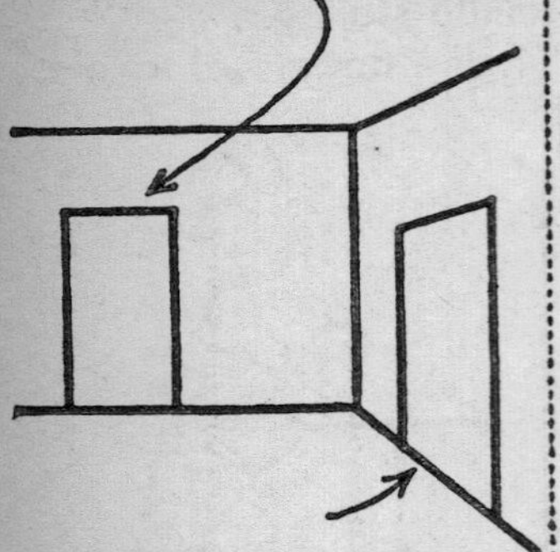

Questa è l'altra porta.

Questa è una delle finestre della stanza.

Una finestra è aperta.
Le altre finestre sono chiuse.

Questa è una delle mie mani.
È la mia mano sinistra.

Questa è l'altra mia mano.
È la mia mano destra.

Questo è uno delle mie dita.

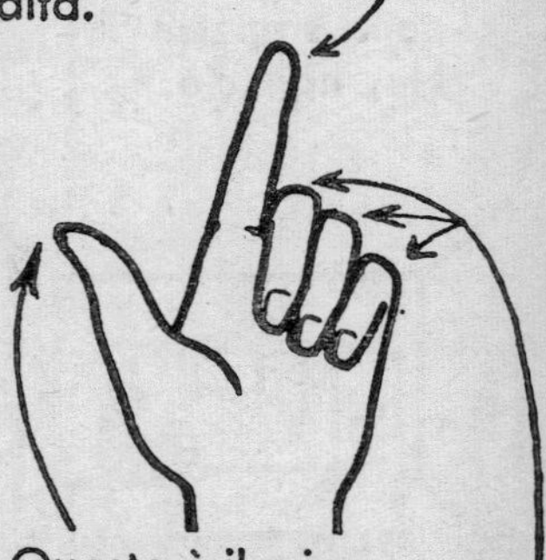

Questo è il mio pollice sinistro.

Queste sono le altre dita della mia mano sinistra.

La signora Bianchi non è nella stanza.
Ella è uscita dalla stanza.

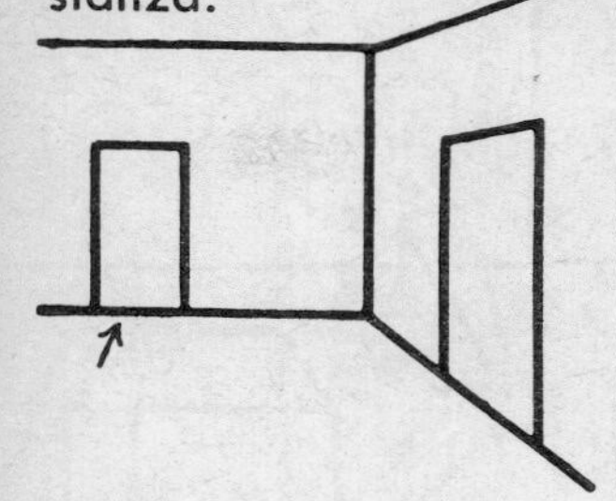

Ella è uscita attraverso questa porta.

Il signor Bianchi è nella stanza.
Egli è entrato nella stanza.

Egli è entrato attraverso questa porta.

Il signor Bianchi mette il cappello sul tavolo.

Egli uscirà dalla stanza attraverso questa porta.

Egli ha messo il cappello sul tavolo.
Adesso il cappello è sul tavolo.

Egli è uscito dalla stanza attraverso questa porta.

Maria entra nella stanza.

Ella va al tavolo.

Ella vedrà il cappello.

Ella lo vede.

Ella l'ha visto.
Quando l'ha visto?

Ella l'ha visto quando è andata al tavolo.

Che cos'è quello?

Oh, è il cappello. di Giovanni.

Che cos'è quello?
È il cappello di Giovanni.

Ella prenderà il cappello in mano.

Ella lo prende.

Ella l'ha preso in mano. Ella esce dalla stanza.

Ella ha il cappello in mano.

Ella è uscita dalla stanza con il cappello di Giovanni.

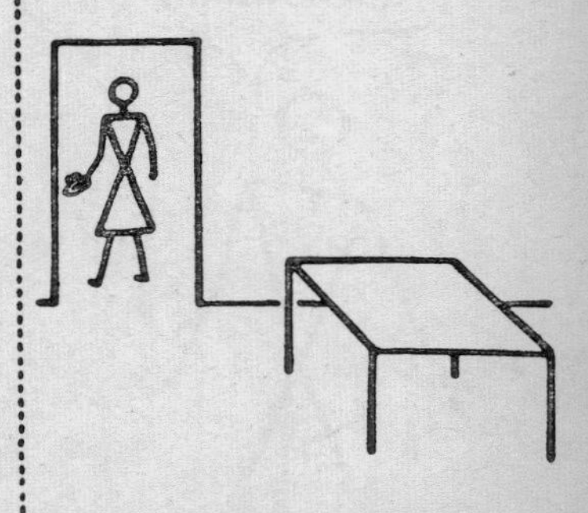

Adesso ella è in un'altra stanza.

Ella è entrata nella stanza attraverso questa porta.
Ella ha il cappello con sè.

Che cosa sono questi?
Sono ganci.

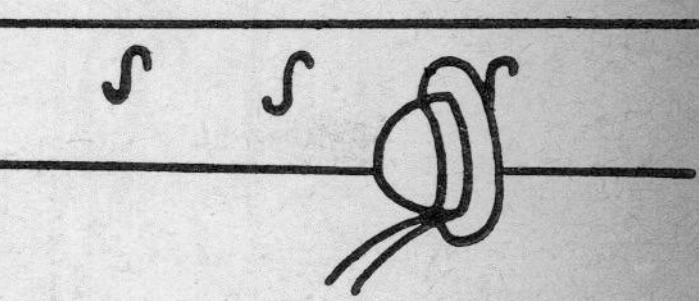

Quello è un altro cappello.
È sul gancio.

Ella metterà il cappello di Giovanni sul gancio.

Ella lo metterà sul gancio con l'altro cappello.

Ella l'ha messo sul gancio.

Adesso è con l'altro cappello.
L'altro capello è di Maria.

Giovanni entra nella stanza nuovamente.

Egli è entrato nella stanza.
Egli è andato al tavolo.

Egli è là.

Il cappello non è sul tavolo.

Egli dice:

Maria è qui.
Ella entra nella stanza.
Ella dice: "Sono qui."

Dov'è il suo cappello?
Lei l'ha messo sul tavolo. Era sul tavolo.
Io l'ho preso e l'ho messo nell'altra stanza.
È sul gancio nell'altra stanza.

Giovanni dice: "Io prenderò il mio cappello."

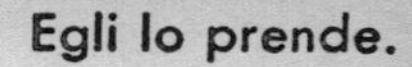

Egli lo prende.

L'ha preso? Sì, egli l'ha preso.

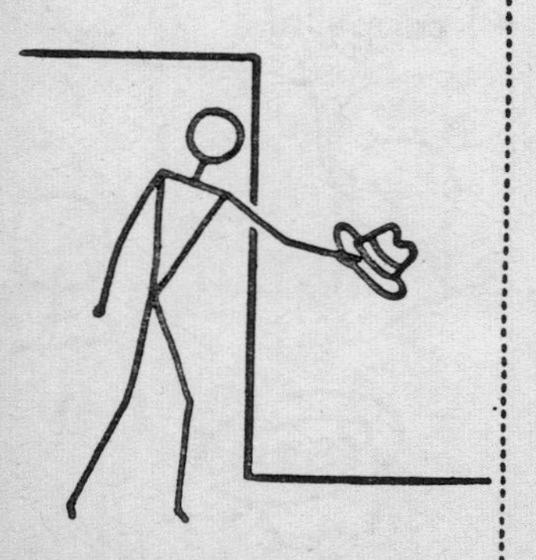

Egli è uscito dalla stanza.

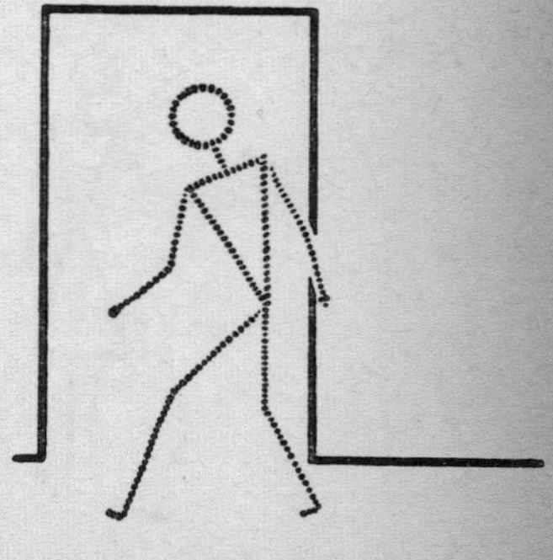

Quando ha visto il cappello, l'ha preso dal gancio.

Egli è entrato nella stanza nuovamente con il cappello in mano.

Egli dà il cappello a Maria.

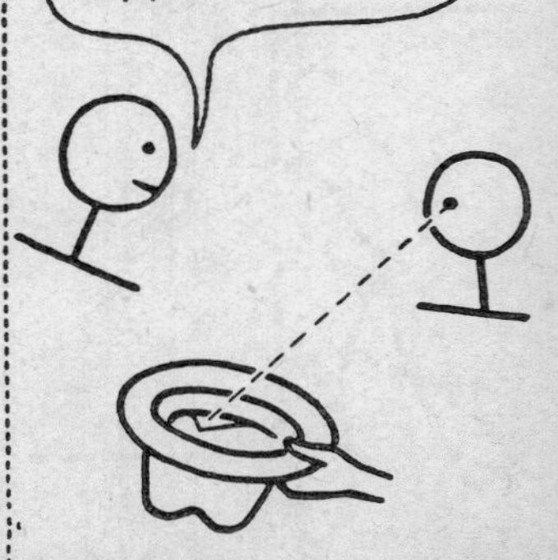

Che cosa c'è nel cappello?
Maria vedrà che cosa c'è nel cappello.

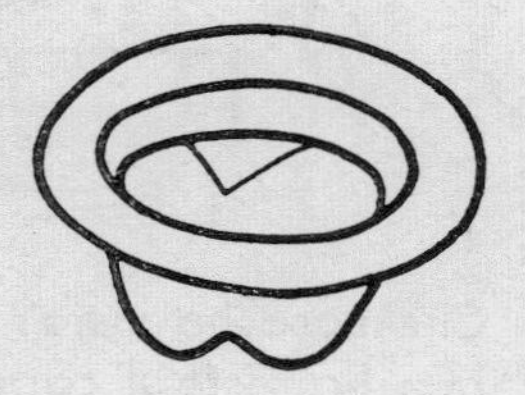

Che cosa prende dal cappello?

Che cosa ha in mano?
Ha del denaro.

Vede ella?

Sì, ella vede un biglietto da diecimila lire.

Che cosa vede?
Ella vede un biglietto da diecimila lire.

Adesso il denaro è nella sua mano. Adesso l'ha in mano.
Esso era nel cappello.

Dov'era il cappello?
Era sul tavolo.

Che cosa ha visto?
Ella ha visto il cappello, ma non ha visto il denaro.

Ella ha messo il cappello nell'altra stanza.
Giovanni vi è andato e l'ha preso.

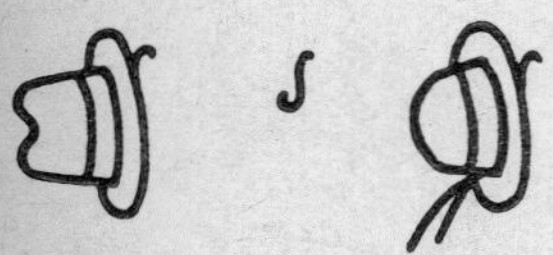

Chi l'ha preso? L'ha preso Giovanni.

Vede il denaro adesso?
Sì, ella lo vede.

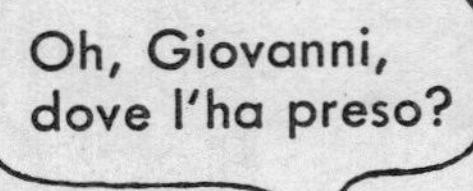

Giovanni dice:
"Io ero nella strada.
Io venivo a casa.

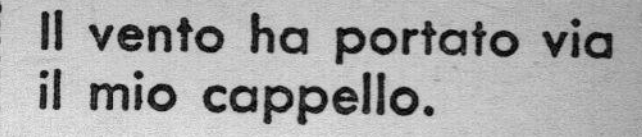

Il vento ha portato via
il mio cappello.

Il cappello era in aria.

Poi il cappello è
caduto a terra.

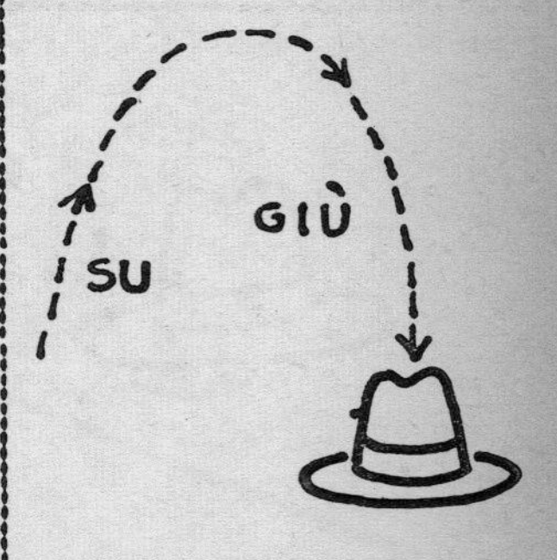

Quando ho preso il cappello, ho visto il denaro.

Il denaro era sotto il cappello.

Il cappello era sul denaro nella strada.

Esso era sul biglietto da diecimila.
Il biglietto era sotto il cappello."

Questa bottiglia è sul tavolo.

Essa è una bottiglia di vino.

Giovanni ha preso la bottiglia dal tavolo.

Adesso egli ha la bottiglia in mano.

Egli mette il vino nei bicchieri.

Un bicchiere è pieno; l'altro sarà pieno.

I bicchieri sono pieni di vino.

Il vino è nei bicchieri.

Giovanni ha un vassoio in mano.
Sul vassoio vi sono due bicchieri pieni di vino.

Giovanni ha messo il vassoio sul tavolo.

Giovanni darà un bicchiere di vino a Maria.

Egli ha dato il bicchiere a Maria.

L'altro bicchiere è sul tavolo.

Adesso Maria e Giovanni hanno i bicchieri pieni di vino nelle loro mani.

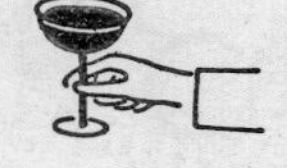

Giovanni ha il suo bicchiere in mano.

Maria ha il suo bicchiere in mano.

"Salute"

Essi bevono il vino.

Che cosa compre-remo con il nostro denaro?
Che cosa comprerà lei?
Io comprerò una veste nuova.
Questa veste è nuova.
Questa veste è vecchia.
Che cosa comprerà lei?
Io comprerò una pipa nuova.
Questa pipa è nuova.
Questa pipa è vecchia.

Maria compra una veste nuova.
Ella è in un negozio.
L'altra donna ha due vesti nelle mani.

Ecco il negozio.

Nella vetrina del negozio vi sono cappelli, vesti e scarpe.

Queste sono scarpe.
Esse sono scarpe da donna.

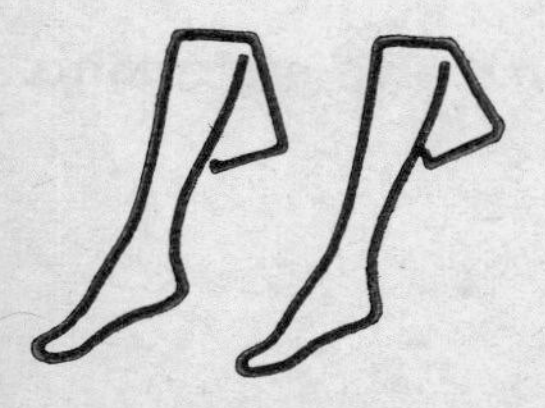

Queste sono calze.

Questi sono guanti.

Vesti, calze, scarpe e guanti sono vestiario da donna.

Questo è un albero.
Questo è un ramo dell'albero.
Una mela è sul ramo.
Essa è sulla testa della ragazza.

Altre mele sono a terra.
La ragazza prenderà una delle mele che sono a terra, e la metterà nel cesto.

Ella ha preso la mela. Adesso la mela è nella sua mano.

Ella ha preso la mela che ha in mano.

Ella la mette nel cesto.

Ella l'ha messa nel cesto.
Ella l'aveva in mano prima di metterla nel cesto.

Dopo aver preso la mela, ella l'ha messa nel cesto.
Poi ella ha messo giù il suo cesto.
Adesso la mela è nel cesto.
Prima essa era a terra.

Quando era a terra la mela?
Prima la mela era a terra, dopo la ragazza l'ha presa.

La mela era a terra prima di essere presa.

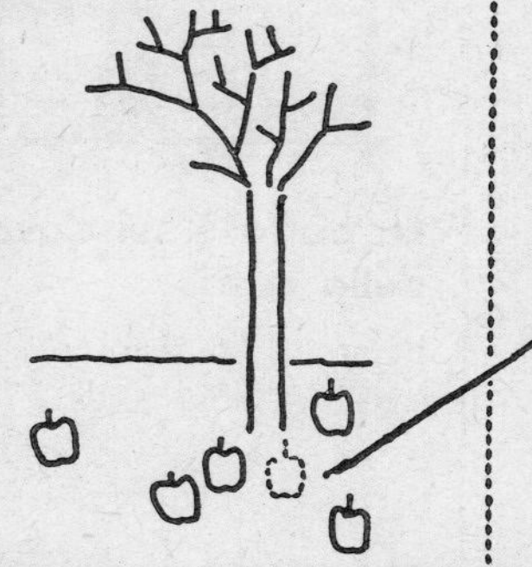

Essa era a terra con le altre mele.

Quando l'ha messa nel cesto?

Ella l'ha messa nel cesto dopo di averla presa.

Quando aveva la mela in mano?

Ella aveva la mela in mano dopo di averla presa e prima di metterla nel cesto.

Questa è una scatola.

Questo è il davanti della scatola.

Questa è una casa.

La porta è sul davanti della casa.

Questo è il dorso della scatola.

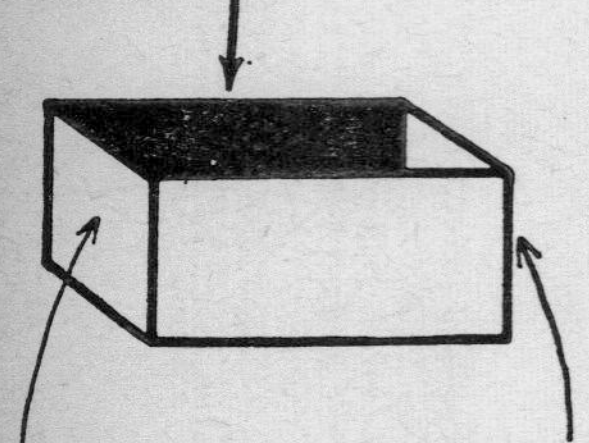

Questi sono i lati della scatola.

Questa è una giacca.

Questo è il davanti della giacca.

Queste sono le maniche della giacca.

Questi sono i lati della giacca.

Questo è il dorso della giacca.

Queste sono le braccia dell'uomo.

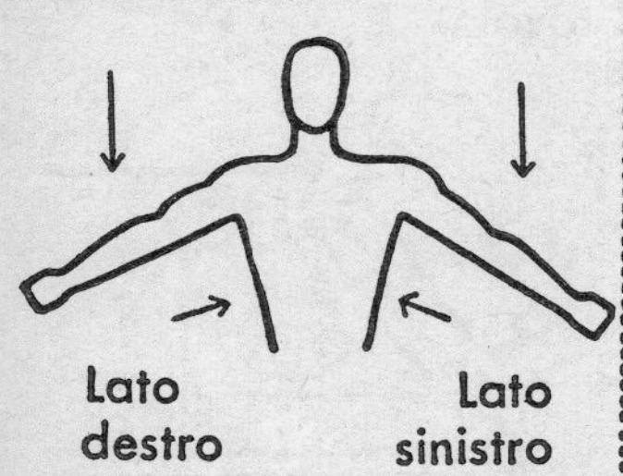

Questo è un uomo visto davanti.

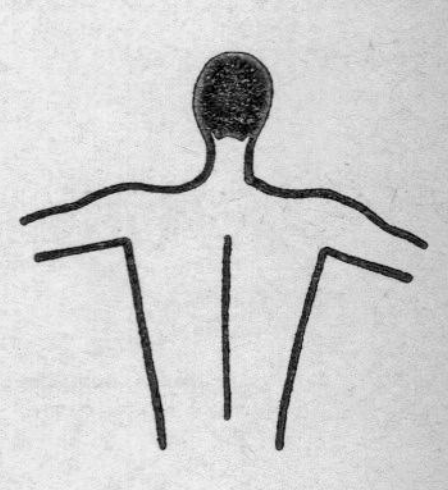

Questo è un uomo visto di dietro.

Chi è questa donna?
Questa è la signora Bianchi.
Maria Bianchi è il suo nome.

Che cosa ha nelle sue mani?
Ha un vassoio.

Ella ha un vassoio nelle sue mani.

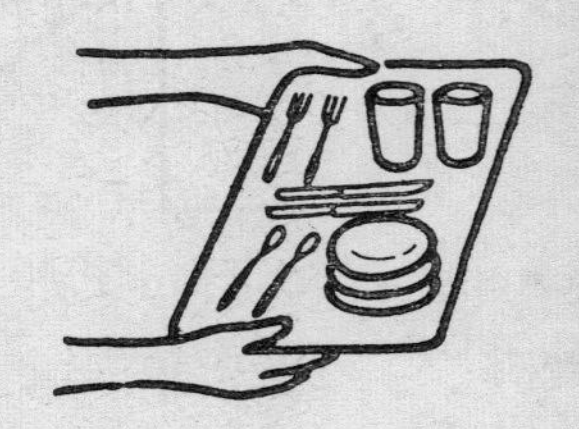

Ella metterà il vassoio sul tavolo.

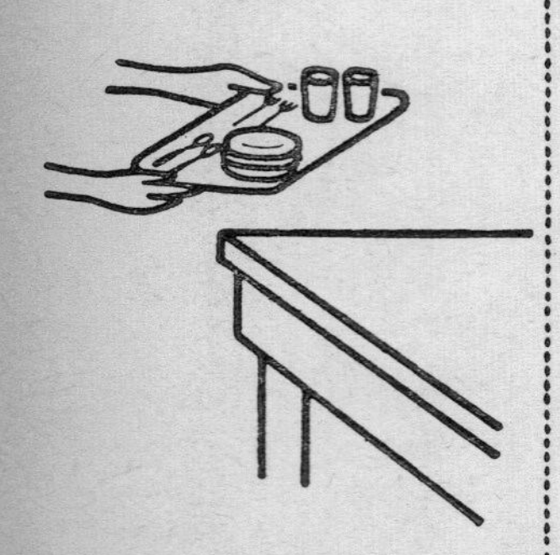

Ella mette il vassoio sul tavolo.

Ella ha messo il vassoio sul tavolo.

Il vassoio era nelle sue mani.
Adesso è sul tavolo.

Ecco il vassoio.

Che c'è sul vassoio?

Questi sono bicchieri.

Che cosa sono queste?
Sono forchette.

Che cosa è questo?
È un coltello.

Che cosa sono questi?
Sono altri due coltelli.

Che cosa sono questi?
Sono cucchiai.

Che cosa è questo?
È un altro cucchiaio.

Che cosa è questo?
È un piatto.

Questi sono altri tre piatti.

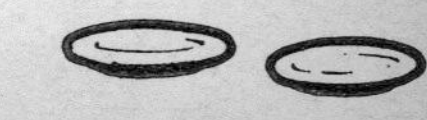

La signora Bianchi prende un coltello ed una forchetta dal vassoio. Ella li ha in mano.

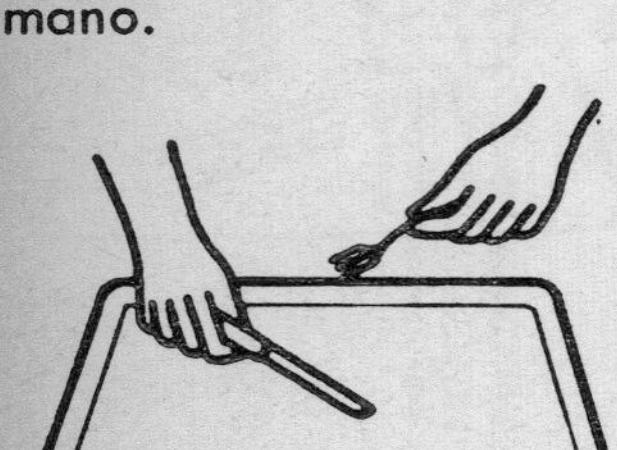

Ella li mette sul tavolo.

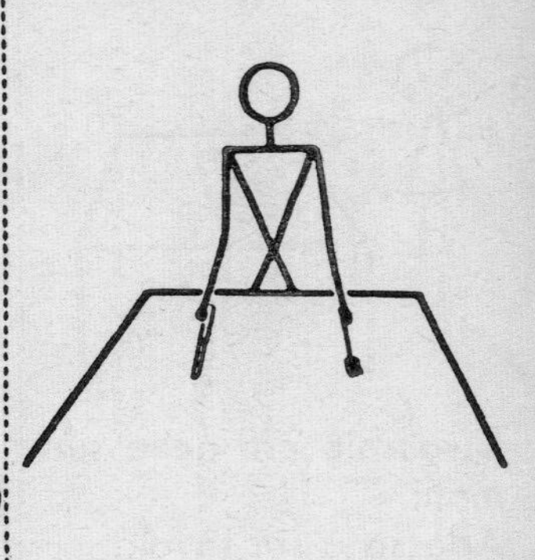

Adesso mette i piatti sul tavolo.

Ella ha messo i coltelli, le forchette, i cucchiai, i piatti ed i bicchieri sul tavolo.

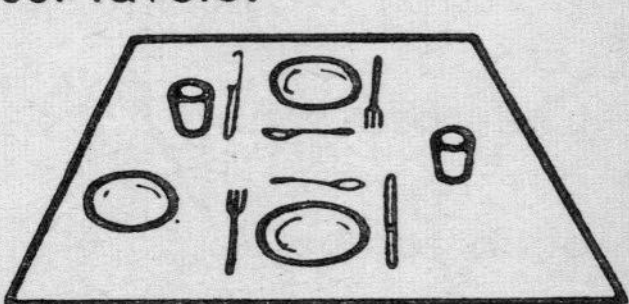

Ella ha messo queste cose sul tavolo.

Maria Bianchi andrà dal tavolo alla porta.

Ella va alla porta.
La porta è chiusa.

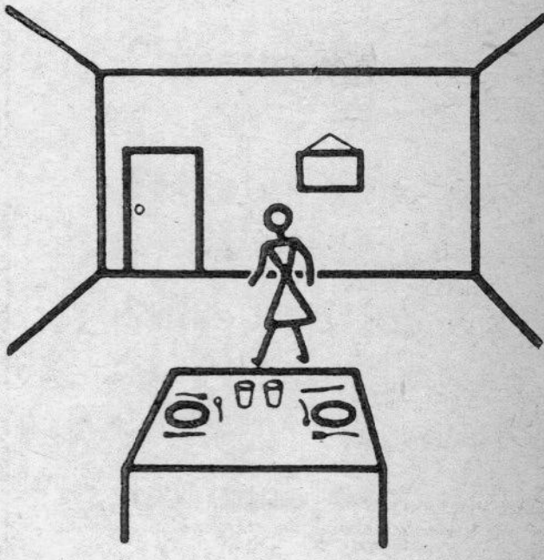

Ella è uscita dalla stanza.
Adesso la porta è aperta; prima era chiusa.

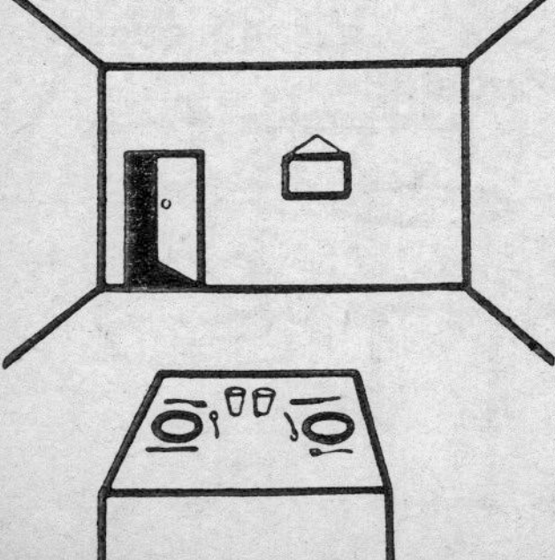

Maria Bianchi non è nella stanza. Ella era nella stanza. Ella è uscita dalla stanza.

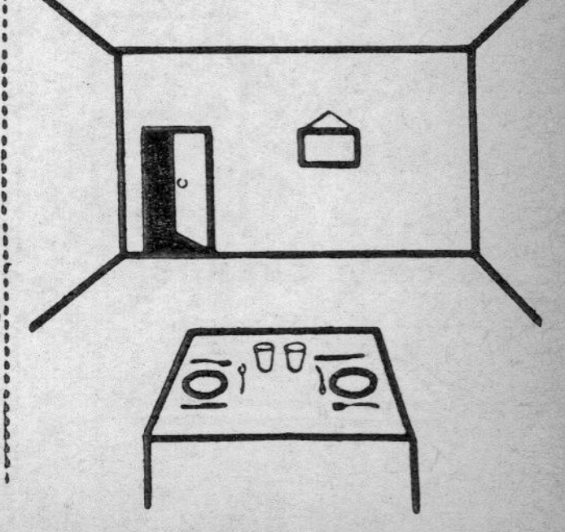

Che cos'è questo?
È un coltello.

Che cos'è questa?

Che cos'è questo?

Che cos'è questo?

Che cosa sono questi?

Che cos'è questo?

Che cos'è questa?

Che cos'è questa?

Che cos'è questa?

Che cosa sono questi?

Che cos'è questa?

Che cos'è questo?

Che cos'è questo?

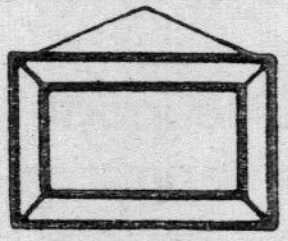

Che cosa sono questi oggetti?

Questa è una mucca.

Le mucche sono animali. Questi sono altri animali:

un maiale,

una pecora,

un cavallo.

Le mucche ci danno il latte. Maria mette il latte nella tazza.

Maria fa la minestra.

Questo è un piatto di minestra.

Ella farà la minestra con la carne e le patate.

Queste sono patate.

Questa è carne.

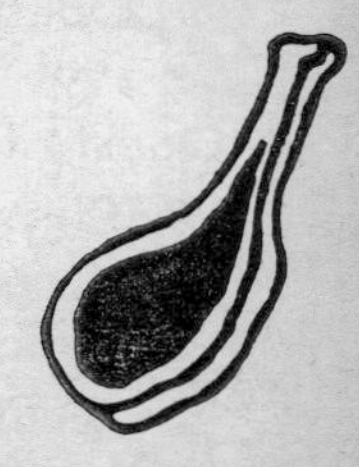

Maria ha una patata nella mano sinistra; il coltello e la buccia nella mano destra.

Nel tegame vi sono altre patate.

Le patate sono radici di una pianta.

Eccole nella terra.

Questa è una pianta.

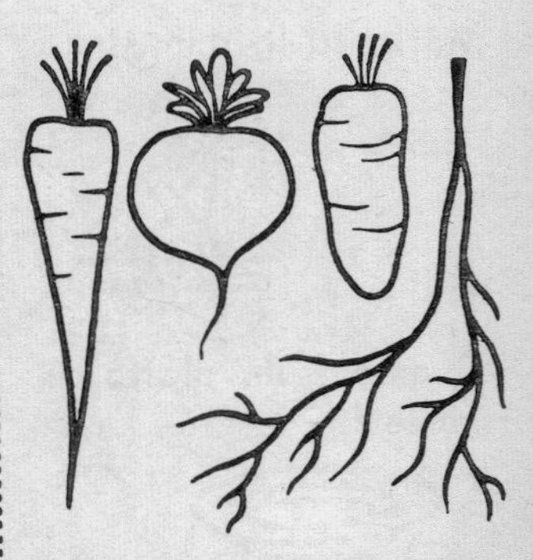

Queste sono radici di altre piante

Maria fa la minestra.

Questo è un tegame.

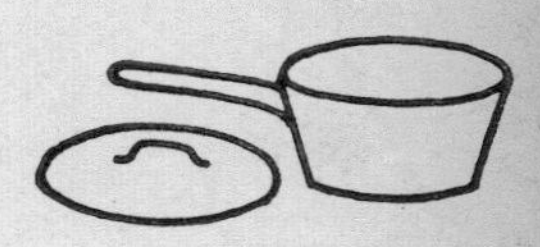

Questo è il coperchio del tegame.
Ella farà la minestra in questo tegame.

Ella ha messo le patate nel tegame.
L'acqua nel tegame bolle.

Questo è vapore.

Questa è una fiamma.
Il tegame è sulla fiamma.

La fiamma è sotto al tegame.

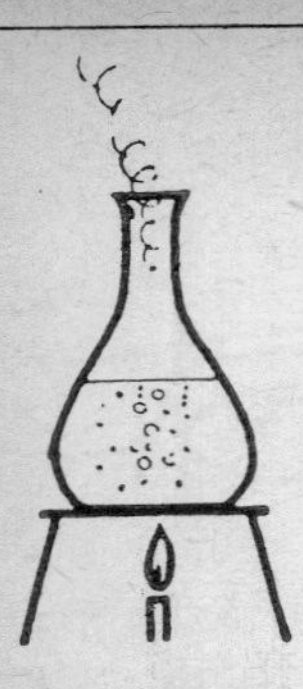

L'acqua bolle.
Manda fuori il vapore.
Il calore della fiamma
fa uscire il vapore.

Il ghiaccio è un solido.
Questo è ghiaccio.

L'acqua è un liquido.
Questa è acqua.

Questo è un vassoio.
È un vassoio per il
ghiaccio.

Il ghiaccio
è freddo.

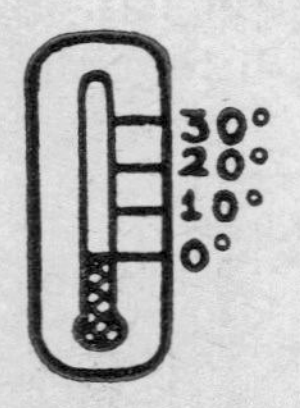

La fiamma è nella
stanza.
La fiamma dà calore.
La stanza è calda.

Gli oggetti nella
stanza sono caldi.

Il ghiaccio
non è caldo,
è freddo.

Questo è un uccello.
È sull'albero.

Gli altri
uccelli
non sono
sull'albero;
sono
nell'aria.

Essi volano.

Questo è un aeroplano.
È nell'aria.
È un aeroplano.
Va nell'aria.

Questi sono aeroplani.

Gli aeroplani volano.

Quando respiriamo,
l'aria entra ed esce
attraverso il nostro
naso e la nostra bocca.

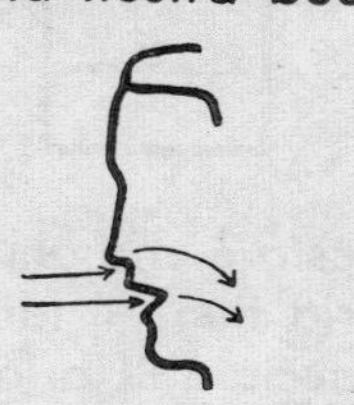

Quest'uomo respira.
L'aria che entra nel suo
naso e nella sua bocca
è fredda

L'aria che esce
è calda.

Quest'uomo mette
le sue mani davanti
alla bocca.
L'aria che
esce è calda.

La stanza è calda.
L'acqua nel tegame è molto calda (caldissima).
Bolle.

L'aria sopra la fiamma è molto calda (caldissima).

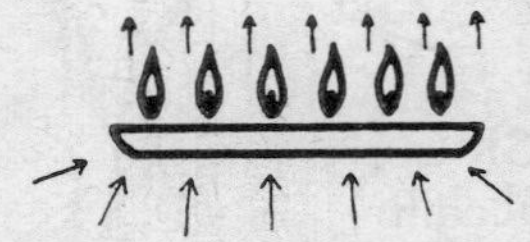

L'aria sotto la fiamma non è molto calda (caldissima).

Questa è una ghiacciaia; dentro v'è il ghiaccio. L'aria nella ghiacciaia è fredda.

Questo è latte.

Queste sono uova.

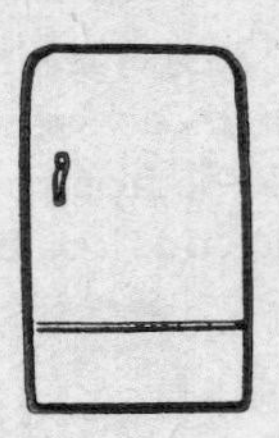

Questa è una ghiacciaia. Maria tiene il latte nella ghiacciaia. L'aria nella ghiacciaia è fredda.

L'aria fredda mantiene il latte freddo.

Questo è un orologio.

L'orologio è uno strumento per misurare il tempo.

Questo è uno strumento per misurare il calore.

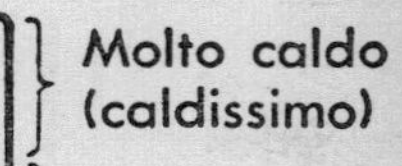

Questo è un metro.
Il metro misura la lunghezza.

In un metro vi sono dieci decimetri.

Vi sono dieci centimetri in un decimetro.

Questo piede è di Maria.

Questi sono i suoi piedi.

Questo piede è lungo 25 centimetri.

Le pareti ed il pavimento della ghiacciaia sono spessi.

Questa parete è spessa.

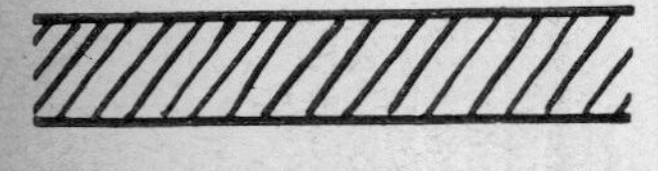

Questa parete è sottile.

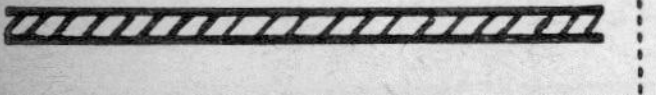

Il calore della stanza non è entrato nella ghiacciaia.
L'aria fredda nella ghiacciaia mantiene il latte freddo.

Giovanni beve.
Egli beve il latte dal bicchiere.

Il latte è buono.
Giovanni è contento.

Questo latte non è buono, è cattivo.

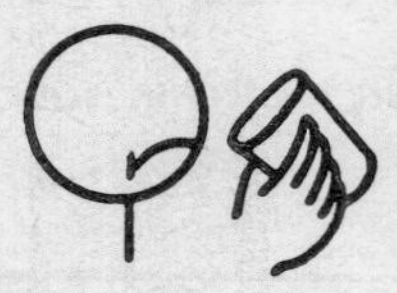

Giovanni non è contento.

Questa è carne.

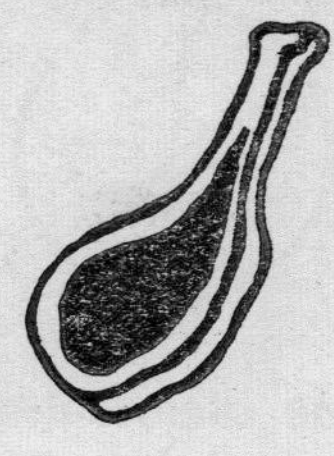

Maria tiene la carne nella ghiacciaia.

Questo è pane.

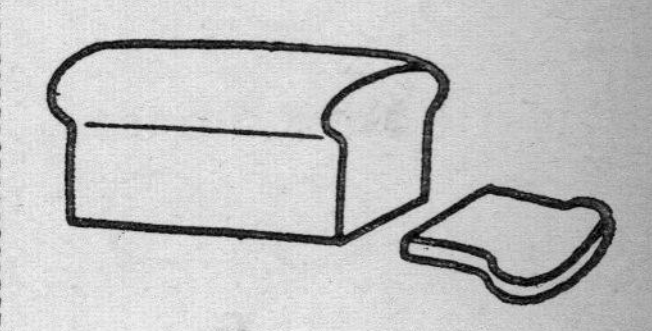

Maria non tiene il pane nella ghiacciaia; lo tiene nel cesto del pane.

Questo è formaggio.

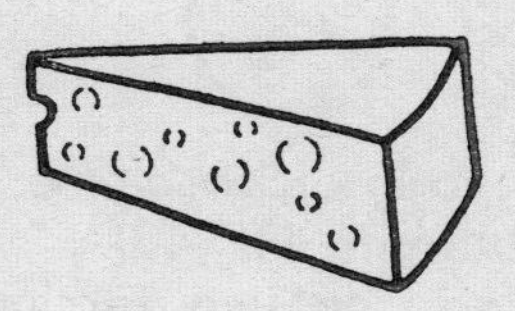

Noi facciamo il formaggio con il latte. Le mucche ci danno il latte.

Questo è burro.

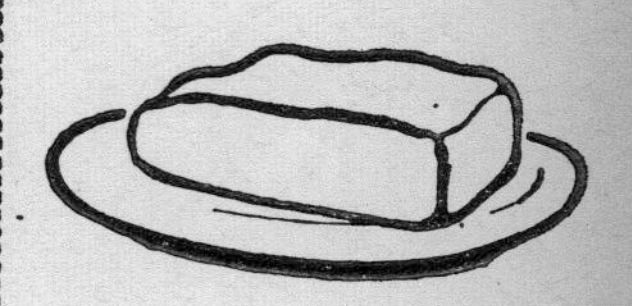

Noi facciamo il burro con il latte. Maria tiene il burro, il latte ed il formaggio nella ghiacciaia.

Queste sono mele.

Queste sono arance.

Mele ed arance sono frutti.
Maria tiene la frutta nella ghiacciaia?

Che ora è?

Sono le diciassette (17).
Maria farà la minestra.

Che ora è?

Sono le diciassette e trenta (17.30). Maria fa la minestra. Le patate sono nel tegame.
L'acqua bolle.

Che ora è?

Sono le diciassette e quaranta (17.40).
Maria ha una forchetta in mano.

Le patate sono dure.

Sono le diciassette e cinquanta (17.50). Maria prende una patata con la forchetta.

Le patate sono molli.

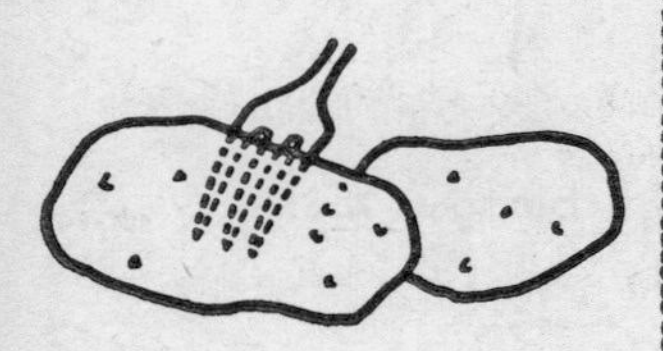

Ella prende le patate dal tegame e le mette in un piatto.

Le patate sono nel piatto.

Prima erano nel tegame. Esse erano dure, adesso sono molli.

Maria le taglia col coltello.

Adesso le patate non sono dure, sono molli.

La carne è molle.

Il vetro è duro.

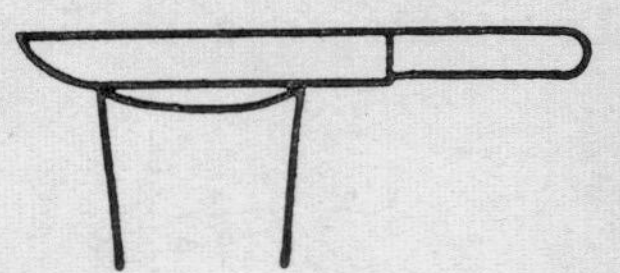

Il burro è molle.

Giovanni ha un pezzo di formaggio fra le dita.

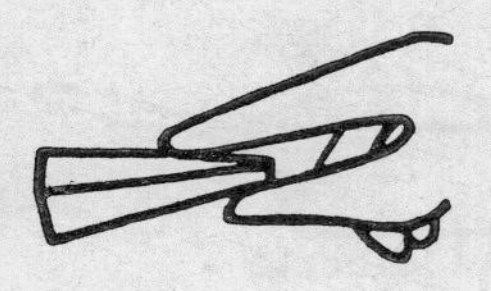

Egli mette il pezzo di formaggio in bocca.

Adesso è fra i suoi denti.

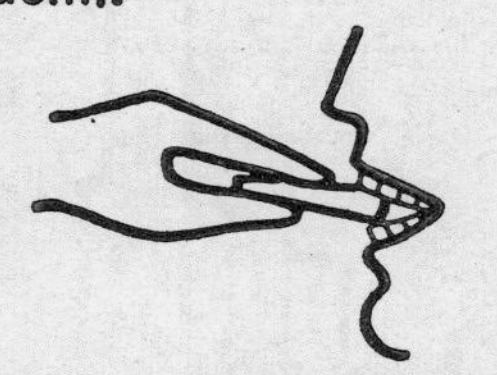

Questa è la sua bocca.

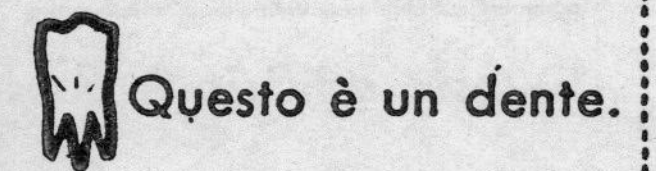

Questo è un dente.

Questi sono denti.

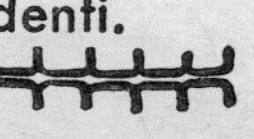

Questo formaggio non è molle.

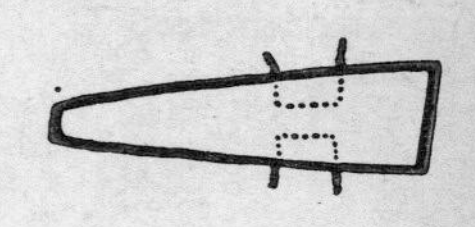

È duro.

Giovanni dice: "Questo formaggio è duro."

Maria mette le patate, la carne ed altre cose nel tegame.
Questo è sale.

Ella ha messo il tegame sopra una fiamma bassa.
Ella ha messo il coperchio sul tegame.

La fiamma sotto al tegame è bassa.

Questa fiamma è bassa.

Questa fiamma è alta.

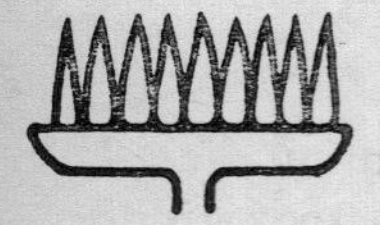

Questo edificio è alto.

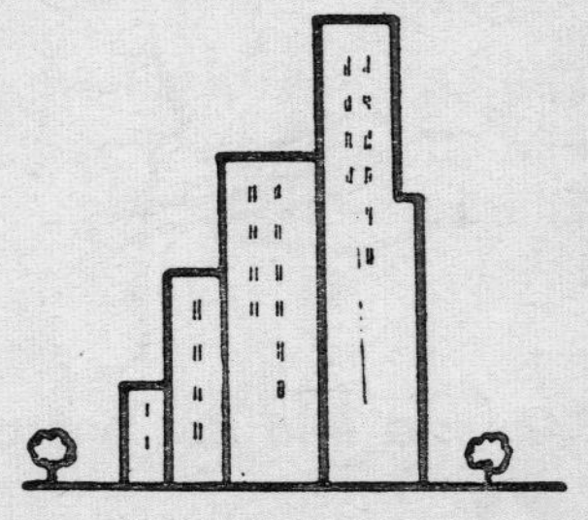

Questo edificio è basso.

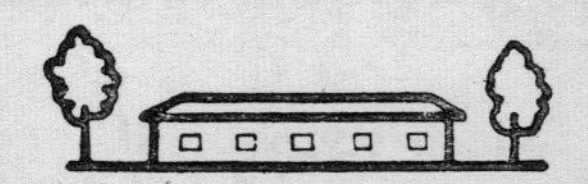

Che ora è?
Sono le
diciotto
(18).

Maria assaggia
la minestra;
è buona.

Adesso mette la minestra
nei piatti.

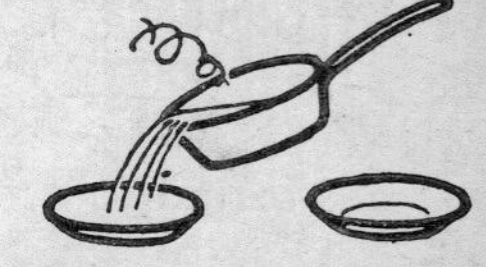

Prima era nel tegame.

Adesso è nei piatti.

Ella ha fatto la minestra.
Ella l'ha messa nei piatti.
Ella li ha portati sul
tavolo.

I piatti sono sul tavolo.
La minestra è pronta.
La minestra è buona.
Maria l'ha fatta.

Minestra, latte,

patate, pane,

carne,

formaggio,

burro,

mele, e arance

sono cibi.

Sono cibi diversi.

Una mela.

Un'arancia.

Mele ed arance sono frutti diversi.

Questi bicchieri sono diversi.

Queste scatole sono diverse.

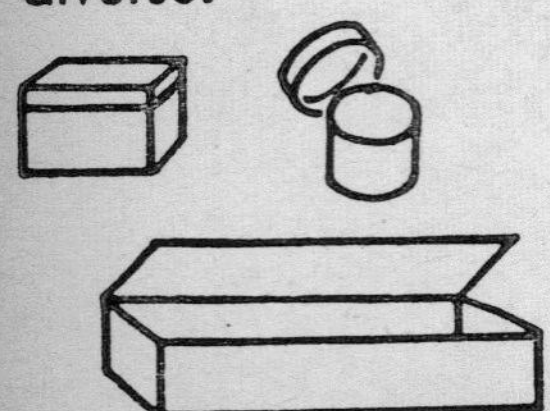

Bicchieri, scatole, dita, vestiti e fiamme sono cose.

Sono cose diverse.

Mucche,

pecore,

maiali,

cavalli,

e capre

sono animali.

Sono animali diversi.

Queste piante sono diverse.

Questa è la foglia di una pianta.

Queste è la foglia di un'altra pianta.

Questi sono uguali.

Questi sono diversi.

Questi sono uguali.

Questi sono diversi.

Questi piatti sono uguali.

Questi piatti sono diversi.

Questi bicchieri sono uguali.

Questi sono diversi.

Ecco una donna ed un ragazzo.

Il ragazzo è il figlio della donna.
Ella è sua madre.
Egli è suo figlio.

Ecco una donna ed una ragazza.

La ragazza è la figlia della donna.
La donna è sua madre.

Ecco un uomo e suo figlio.

L'uomo è il padre del ragazzo.
Il ragazzo è suo figlio.

Ecco un uomo e sua figlia.

Egli è il padre della ragazza.
Ella è sua figlia.

Il ragazzo è il fratello della ragazza.

Egli è suo fratello.

La ragazza è la sorella del ragazzo. Ella è sua sorella.

Quest'uomo e questa donna

hanno due figli

e tre figlie.

Questo ragazzo ha un fratello e tre sorelle.

Questa ragazza ha due fratelli e due sorelle.

È una famiglia di sette (7) persone.

Ecco la signora Bianchi, sua figlia Giannina, e suo figlio Tommaso.

Essi sono a tavola. Essi mangiano la minestra di carne e di patate.

La minestra con le patate è densa; non è trasparente.

Quest'acqua è trasparente. Quando un liquido è trasparente noi vediamo attraverso di esso.

Il latte non è un liquido trasparente. Noi non vediamo attraverso di esso.

L'aria è trasparente. Io vedo le montagne. Quando l'aria non è trasparente non le vedo.

Questo brodo è trasparente.
Vediamo il cucchiaio attraverso di esso.

La minestra di patate è densa.
Non vediamo il cucchiaio attraverso di essa.

Chi è questa donna?

Questa è Maria Bianchi.
Ella ha fatto la minestra.
Questa è Maria che ha fatto la minestra.

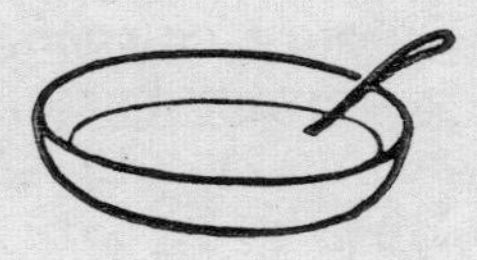

Questa è la minestra.
Maria l'ha fatta.
Questa è la minestra che Maria ha fatto.

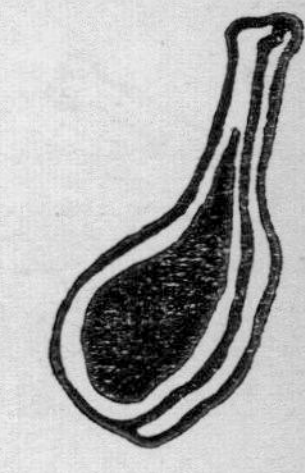

Questa è la carne.
Maria l'ha messa nella minestra.
Questa è la carne che Maria ha messo nella minestra.

Questo è un cucchiaio.
È nella mia mano.
Questo è un cucchiaio
che è nella mia mano.

Quello è un bicchiere
d'acqua.
È sulla tavola.

Quello è un bicchiere
d'acqua che è sulla
tavola.

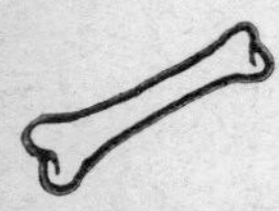

Questo è un osso.
Era nella bocca del
cane.
Questo è un osso che
era nella bocca del cane.

Questo è un cane.
Esso aveva l'osso.

Questo è il cane che
aveva l'osso.

DOMANDE

a. Che ora è?

b. Che cosa sono queste?

c. Che cos'è questo?

d. Che cosa sono queste?

e. Che cosa sono queste?

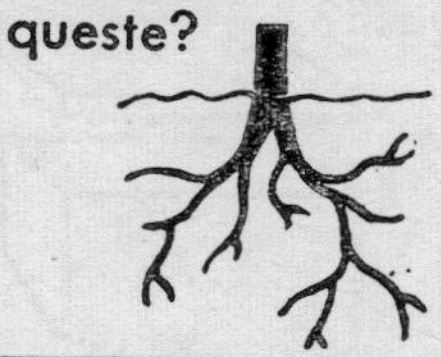

f. Che cos'è questa?

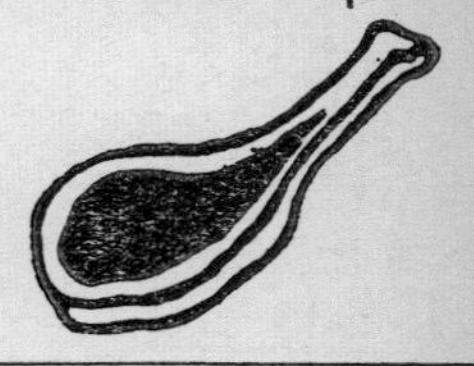

g. Che cos'è questo?

h. Che cos'è questo?

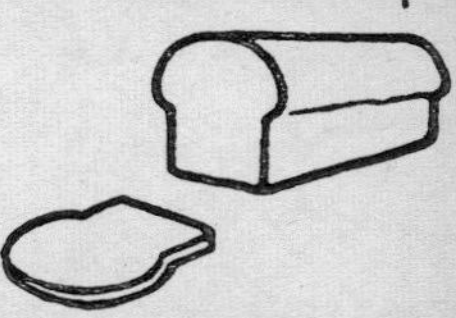

Le risposte sono a pagina 114.

DOMANDE

a. Che cos'è questo?

b. Che cos'è questa?

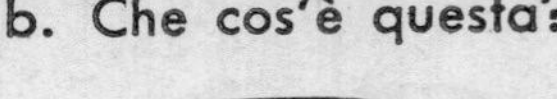

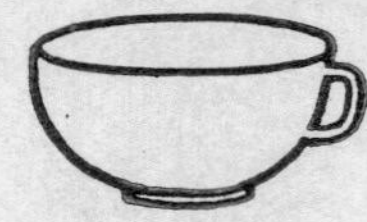

c. Che cosa sono queste?

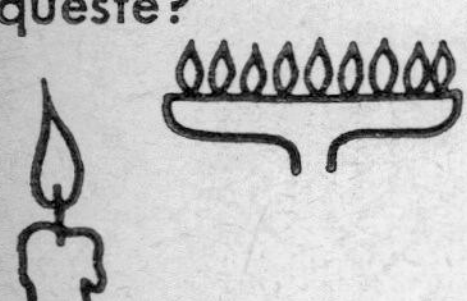

d. Che cos'è questo?

e. Che cos'è questo?

f. Che cosa sono questi?

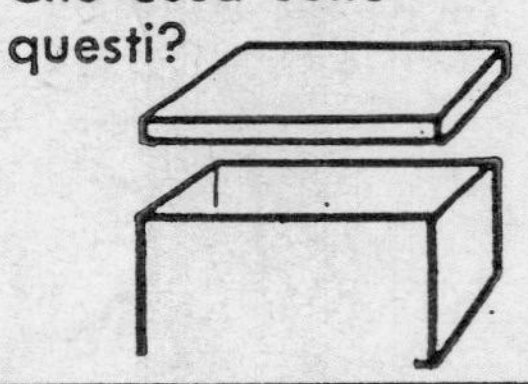

g. Che cos'è questo?

h. Che cos'è questa?

Le risposte sono a pagina 114.

DOMANDE

a. Questa è una famiglia. Che cosa vedi?

b. Questa è una pianta. Quali parti della pianta vedi?

c. Questa è una ghiacciaia. Che cosa vedi dentro di essa?

d. Questo è un cane. Quali parti del cane vedi?

e. Che cosa vedi?

f. Che cosa vedi?

g. Che cosa vedi?

h. Che cosa vedi?

Le risposte a pagina 114.

Le risposte alle domande a pagine 111, 112 e 113.

Pagina 111

a. Sono le tre e quarantadue.
b. Sono mele.
c. È un tegame.
d. Sono foglie.
e. Sono radici.
f. È carne.
g. È burro.
h. È pane.

Pagina 112

a. È formaggio.
b. È una tazza.
c. Sono fiamme.
d. È un cavallo.
e. È un edificio alto.
f. Sono una scatola e un coperchio.
g. È un maiale.
h. È una pecora.

Pagina 113

a. Vedo un padre, una madre, il loro figlio e la loro figlia.
b. Vedo le radici, lo stelo con le foglie ed un fiore.
c. Vedo una bottiglia di latte, quattro uova e due radici.
d. Vedo la testa, gli orecchi, il naso, il tronco, le gambe e la coda.
e. Vedo un osso sul pavimento. Vedo la gamba di un tavolo.
f. Vedo due bicchieri. In uno di essi c'è del liquido.
g. Vedo una donna. Ella ha un cucchiaio in mano. Prende il brodo.
h. Vedo un uomo. Egli ha un bicchiere in mano e beve.

DOMANDE

a. Dove sono le donne?

Che cos'ha in mano una delle due donne?

b. Che cosa sono questi oggetti?

c. Che cosa fa la ragazza?

Dov'è la mela?

d. Dove metterà la mela?
Dov'era la mela prima di essere presa?

Vedi pag. 81-82.

e. Quali sono alcuni generi di cibi?

f. Quali sono alcuni generi di animali?

g. Quali sono alcuni generi di frutta?

h. Quali sono le categorie di persone?

Le risposte a pagina 118.

DOMANDE

a. Questo è un bicchiere di latte. È trasparente? Vedi attraverso di esso?

b. Il vetro di questa finestra è trasparente? Che cosa vedi attraverso la finestra?

c. È duro il vetro?

d. È molle il burro?

e. È caldo il ghiaccio?

f. Sono fredde le fiamme?

g. Che cosa fa egli?

h. Che cosa fa ella?

Le risposte a pagina 119.

DOMANDE

a. Che cosa vedi?

b. Che cosa fa egli?

c. Che cosa fanno loro?

d. Che cosa sono questi?

e. Che cosa teniamo nella ghiacciaia?

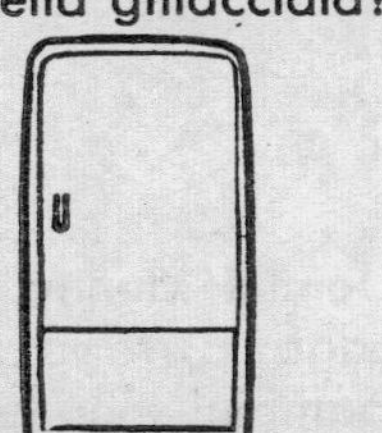

f. Quali sono alcuni generi di cose? Quali sono i nomi di dieci oggetti che vedi in una casa?

Le risposte a pagina 119.

Risposte alle domande a pagina 115.

a. Sono in un negozio. Ella ha due vesti nelle mani.

b. Queste sono scarpe, calze e guanti.

c. La ragazza prende la mela. La mela è sul ramo di un albero.

d. Ella la metterà nel suo cesto. Prima di prenderla, la mela era sull'albero.

e. Pane, burro, latte, formaggio, carne, uova e frutta sono alcuni generi di cibi.

f. Mucche, maiali, pecore, capre e cavalli sono alcuni generi di animali.

g. Mele ed arance sono alcuni generi di frutta.

h. Uomini, donne, ragazzi, ragazze e bambini sono le categorie di persone.

Risposte alle domande a pagine 116-117.

Pagina 116

a. No, non è trasparente. No, non vedo attraverso di esso.

b. Sì, il vetro di questa finestra è trasparente. Vedo alcune montagne ed una casa.

c. Sì, il vetro è duro.

d. Sì, il burro è molle.

e. No, il ghiaccio è freddo.

f. No, le fiamme sono calde.

g. Egli prende le patate dalla terra con una forca.

h. Ella mette il sale nella minestra di patate.

Pagina 117

a. Vedo un uomo. Egli è nella strada. Il suo cappello è in aria. Il vento lo porta via. Il vento l'ha portato via dalla sua testa.

b. Egli si mette il cappello in testa.

c. Essi hanno i cucchiai in mano. Mangiano la minestra.

d. Uno è un orologio; l'altro è uno strumento per misurare il calore.

e. Nella ghiacciaia noi teniamo il latte, il burro, il formaggio, le uova, la carne e la frutta.

f. I quadri, le porte, le finestre, i tavoli, le sedie, le scatole, i coltelli, i cucchiai, le forchette e gli scaffali sono alcuni generi di oggetti.

Questa è una stanza da letto.
Vi sono due letti nella stanza.

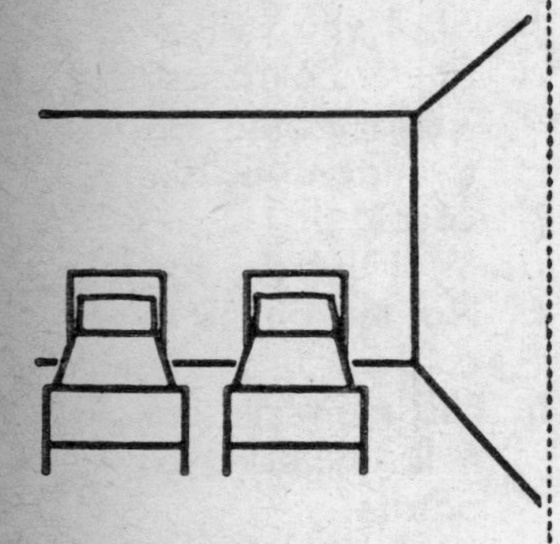

Questa sedia è vicina al letto.

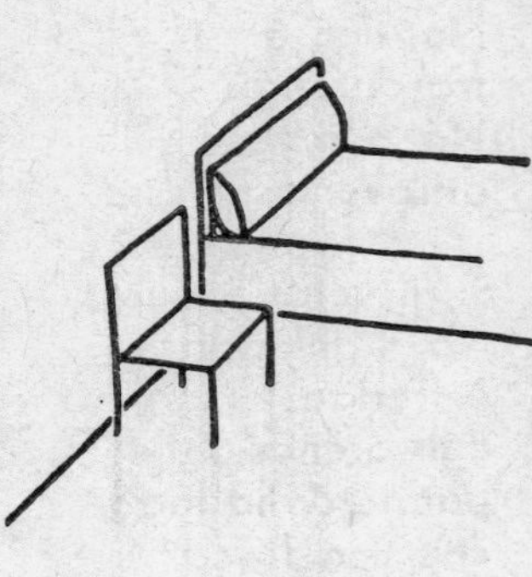

Che cosa c'è sulla sedia?
Sulla sedia c'è una valigia.

Una donna è vicina al letto.
Chi è?
Ella è la signora Bianchi.

Che cosa fa?
Ella mette degli oggetti nella valigia.

Che cosa mette nella valigia?
Ella vi mette alcuni oggetti del signor Bianchi.

Il signor Bianchi va a Genova.
I signori Bianchi sono di Roma.

Egli andrà in treno.
Questo è un treno.
Non è un viaggio lungo da Roma a Genova.

Che cosa porterà con sè a Genova?
Egli porterà delle camice.

Egli porterà dei calzini.
Egli non porterà i calzini vecchi.
I calzini vecchi hanno i buchi.

Egli porterà calzini nuovi.
I calzini nuovi non hanno buchi.

Questi pantaloni hanno un buco.
Sono pantaloni vecchi.

Egli porterà delle scarpe.

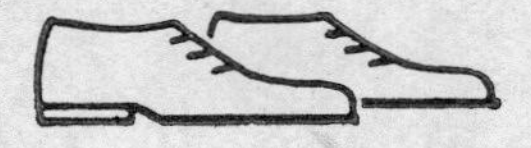

Egli le metterà nel sacchetto.

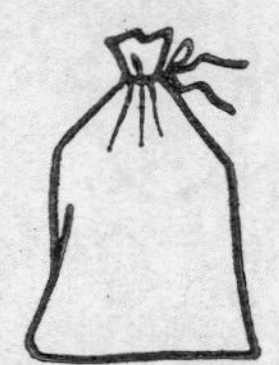

Il sacchetto è tra le scarpe sporche e le camice pulite.

Il sacchetto manterrà le altre cose pulite.

Le mie mani sono sporche.

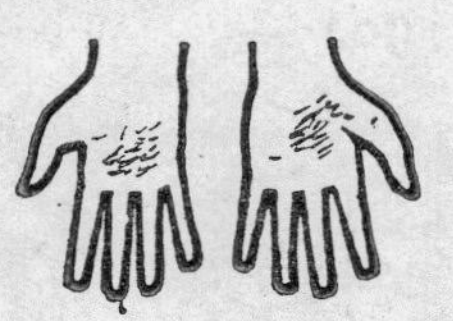

Le mie mani sono pulite.

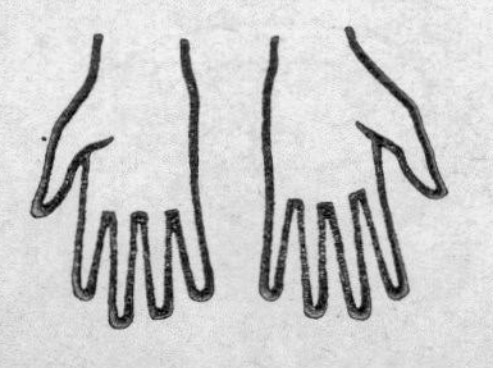

Questo panno è sporco.

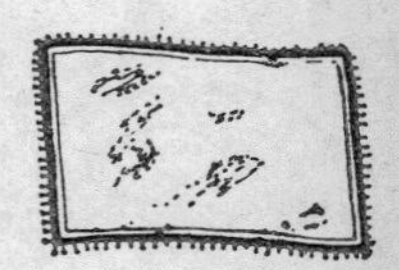

Questo panno è pulito.

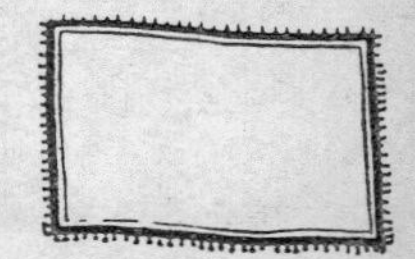

Questo piatto è pulito.

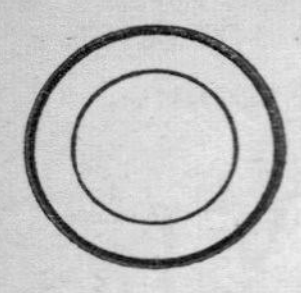

La sua faccia è sporca.

Questo piatto è sporco.

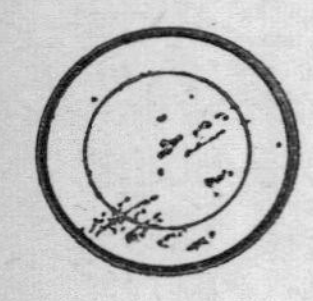

La sua faccia è pulita.

Il piatto è sporco,
ma il panno è pulito.

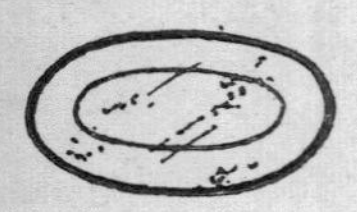

Adesso il panno è
sporco, ma il piatto è
pulito.

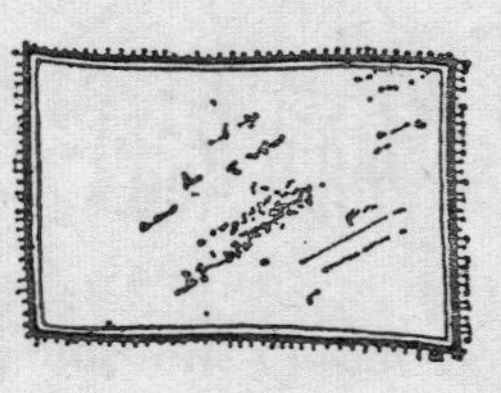

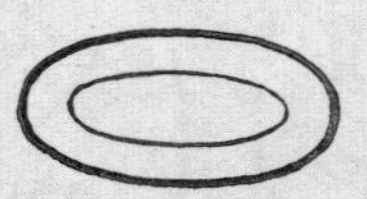

Questo è un lavabo.

Vi è dell'acqua calda.

Questo è sapone.

Che fa ella?

Ella si lava con sapone
e acqua calda.
Ella si lava le mani.

Le sue mani sono
bagnate,
ma ora sono pulite.
Esse erano sporche.

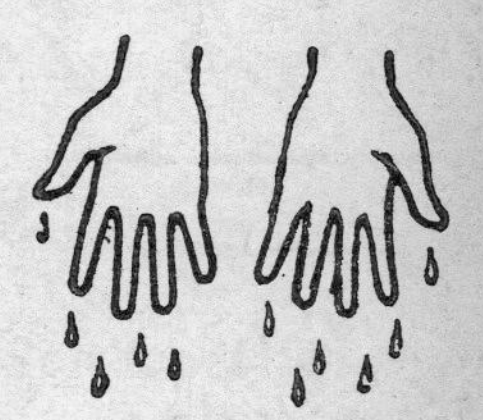

Che cosa fa ella?
Ella si asciuga le mani con un asciugamano.
Un asciugamano è un panno per asciugare le mani.

Le sue mani erano bagnate.

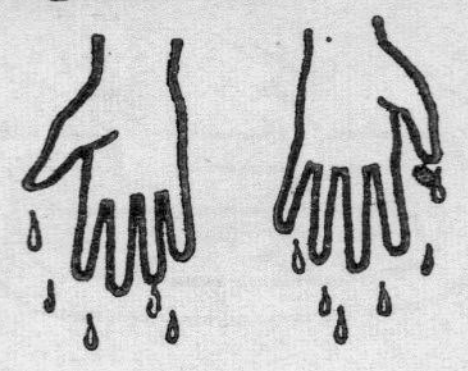

Adesso sono asciutte.
Esse erano sporche.
Adesso sono pulite.

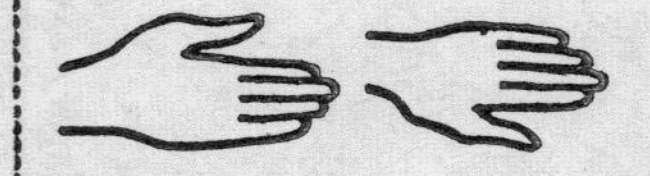

Che cos'è questo?

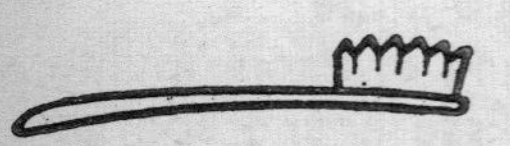

È uno spazzolino da denti.

Che cos'è questo?
È dentifricio.

Ella mette il dentifricio sullo spazzolino da denti.

Ella si lava i denti con lo spazzolino da denti. I suoi denti saranno puliti.

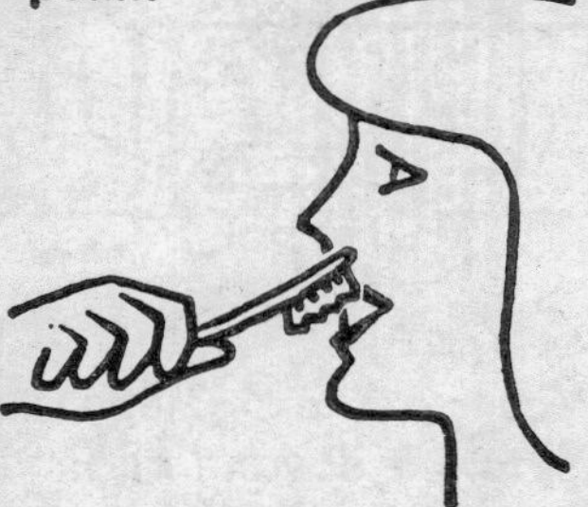

I suoi denti saranno puliti e bianchi.

Questa è una spazzola.

È una spazzola per i capelli.

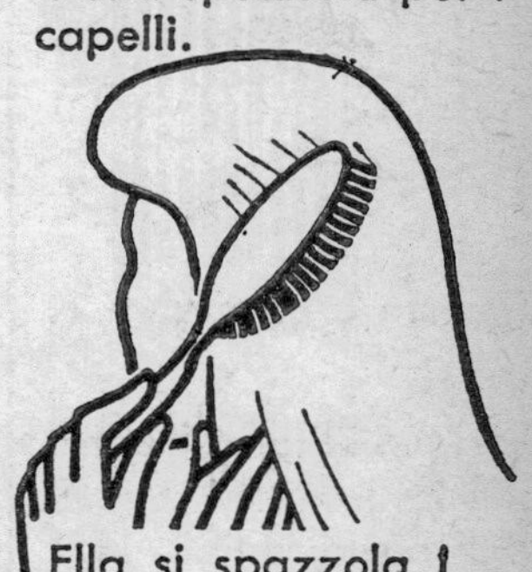

Ella si spazzola i capelli.

Questo è un pettine.

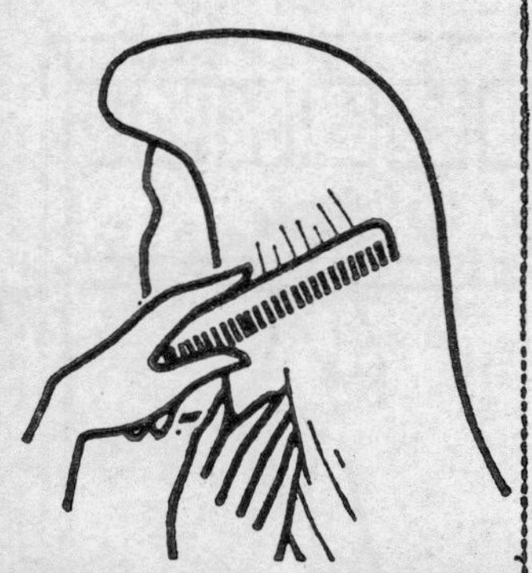

Ella si pettina i capelli.

La signora Bianchi ha messo camice, calzini, scarpe, pettine, spazzole, spazzolino da denti e dentifricio nella valigia del signor Bianchi.

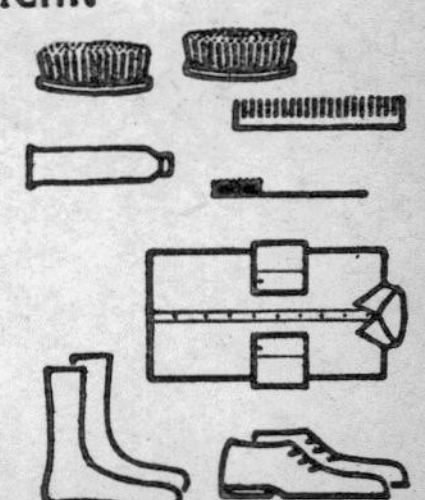

Il signor Bianchi andrà alla stazione in taxi.

Questo è un taxi.

Il signor Bianchi entra nel taxi.
Egli ha la valigia in mano.

Questa è la stazione.
Il taxi è davanti alla stazione.

Il signor Bianchi scende dal taxi.

Adesso egli è alla stazione.

Questa è la sala d'aspetto della stazione.

Quegli uomini e quelle donne aspettano i loro treni.

Questo è un treno.

Questa è la locomotiva di un treno.

Questa è la campana della locomotiva.

Queste sono le rotaie. Il treno va su queste rotaie.

BIGLIETTI

Questa è la biglietteria della stazione.
Il signor Bianchi ha comperato il suo biglietto qui.

Ecco il biglietto.
Egli lo ha pagato 7000 lire.

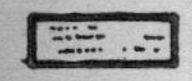

Quanto ha pagato il suo biglietto per Genova?
Egli lo ha pagato settemila lire.

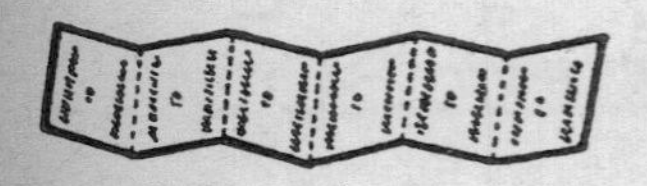

Questi sono biglietti.

Il viaggio non è molto lungo.
È un viaggio di dieci ore.
Egli sarà sul treno dieci ore.
Egli sarà sul treno meno di un giorno.
I giorni della settimana sono:
domenica, lunedì, martedì, mercoledì, giovedì, venerdì e sabato.

Quanto denaro porta con sè?

Egli porta con sè trentamila lire.

30,000 lire è una grande somma di denaro.
500 lire è una piccola somma di denaro.

Il signor Bianchi ha amici a Genova.

I suoi amici sono alla stazione.

Ecco il signor Bianchi.
Ecco i suoi amici.

I suoi amici

Egli ed i suoi amici si salutano.

Essi dicono: "Hai fatto un buon viaggio?"
Egli dice: "Sì, grazie, ho fatto un buon viaggio."

Il suo amico dice: "Per favore, dammi la tua valigia."
Egli andrà a casa con gli amici.

Questa è una lettera:
"a"
Queste sono lettere:
"a b c"
Questa è una parola:
"uomo"
Vi sono quattre lettere nella parola "uomo".
L'uomo scrive una lettera.
Egli scrive sulla carta con la penna.

Genova
2 Maggio—1954

Caro Signor Monti:

Io sarò a Rapallo giovedì, 11 maggio e la vedrò.

Cordialmente suo,

Giovanni G. Bianchi

Ecco la lettera pronta per la posta.
Ecco il francobollo.

Il nome, la strada e la città del signor Monti sono scritti sulla busta.

Questa è la lettera.
L'ha scritta il signor Bianchi.

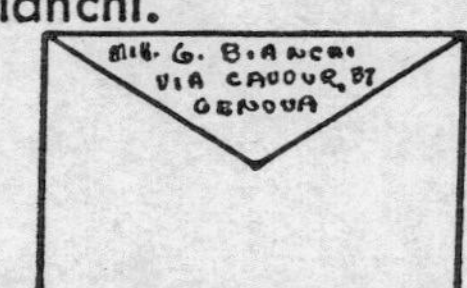

Il signor Bianchi manderà la lettera al signor Monti. Questo è l'altro lato della busta. Il nome del signor Bianchi e la città dove egli abita, sono scritti sull'altro lato della busta.

Il signor Bianchi scrive una cartolina alla signora Bianchi.
Egli è a Genova.
Sulla cartolina c'è la fotografia del porto.
Ecco la fotografia.
Questa è una cartolina.

Ecco l'altro lato della cartolina. Il signor Bianchi scrive il nome della signora Bianchi.

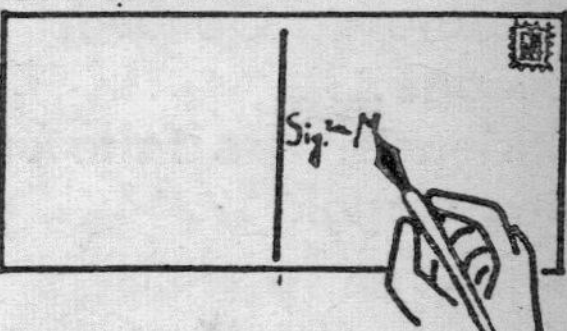

Egli scriverà il nome della strada sotto il suo nome. Scriverà il nome della città sotto quello della strada. Poi scriverà il nome della Provincia.

Adesso la cartolina è pronta per la posta.

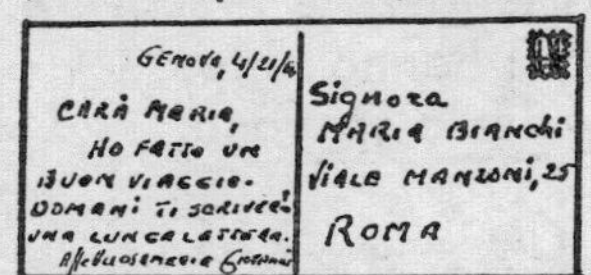

C'è il francobollo sulla cartolina. Il nome della signora Bianchi, il nome della strada e della città sono scritti sul lato destro della cartolina.
La città della signora Bianchi è nella Provincia di Roma.

Il signor Bianchi porta la cartolina alla Posta.
Egli sale gli scalini.

Egli metterà la cartolina nella cassetta della posta.
Egli manda la cartolina alla signora Bianchi.

Questa mattina la signora Bianchi ha ricevuto la cartolina che il signor Bianchi le ha mandato da Genova.
La legge.
Ella legge: "Ho fatto un buon viaggio . . ."

Leggere e scrivere fanno parte della nostra educazione.
Noi riceviamo gran parte della nostra educazione a scuola.
Questi ragazzi e queste ragazze sono a scuola.
La maestra insegna.

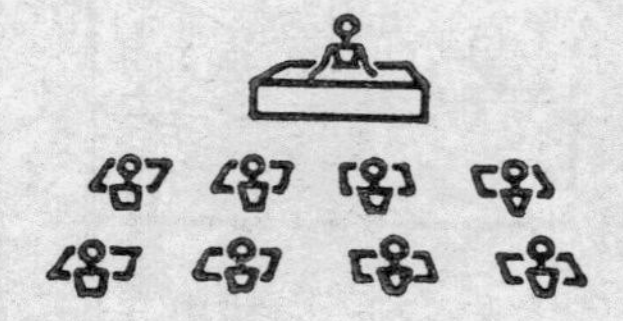

La signora Bianchi manda Giannina e Tommaso a scuola.
Essi saranno a scuola prima delle nove.
Essi ricevono una buona educazione a scuola.

A scuola Tommaso e Giannina imparano a leggere e a scrivere.
Essi hanno letto.
Adesso scrivono.

Tommaso scrive la parola: "imparare."
La maestra gli insegna a scrivere la parola "imparare."

Adesso Tommaso e Giannina sono tornati a casa dalla scuola. Giannina legge un racconto.

Sono le otto e mezzo.

Tommaso scrive al tavolo.

Il cane di Tommaso è ai suoi piedi.

La signora Bianchi legge il giornale.

Tommaso e Giannina ricevono una buona educazione.

Essi la ricevono parte dalla scuola e parte dalla madre e dal padre.

La signora Bianchi guarda il lavoro di Tommaso.

È ben fatto.

Adesso la signora Bianchi scrive al signor Bianchi.

Ella gli manda i saluti di Tommaso e di Giannina.

Caro Giovanni:

Noi stiamo bene. Tommaso e Giannina sono a scuola. Essi fanno molto bene.....

Ella ha la lettera in mano.

Adesso la mette nella cassetta della posta.

Ella l'ha messa nella cassetta della posta.

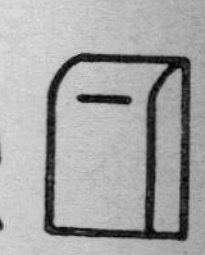

DOMANDE

a. Che cosa sono queste?

Che cosa fa questo ragazzo?

b. Che cosa sono queste?

Che cosa fa l'uomo?

c. Che cosa sono questi?

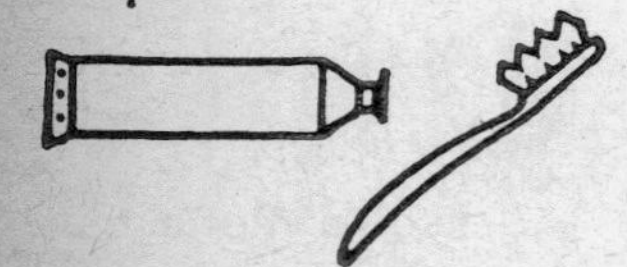

Che cosa fa la ragazza?

d Che cosa è questo?

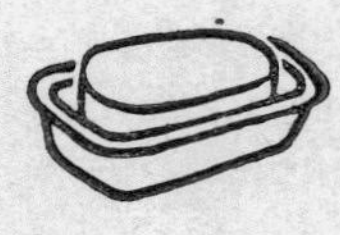

Che cosa fa la donna?

Le risposte a pagina 144.

DOMANDE

a. Dove ha comperato il biglietto il signor Bianchi?

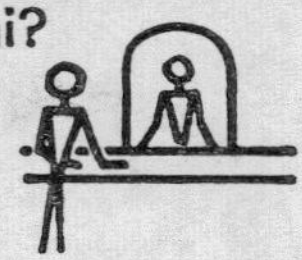

b. Quanto ha pagato per il biglietto?

c. Quante ore ha viaggiato?

d. È andato in aeroplano?

e. Che cosa hanno detto i suoi amici quando l'hanno visto?

f. Che cosa ha scritto sulla cartolina che ha mandato alla signora Bianchi?

g. Che cosa imparano a scuola Tommaso e Giannina?

h. Che cosa ha mandato la signora Bianchi al signor Bianchi?

Le risposte a pagina 144.

Questa è una mela.
La mela è rotonda.

Questa è un'arancia.
L'arancia è rotonda.

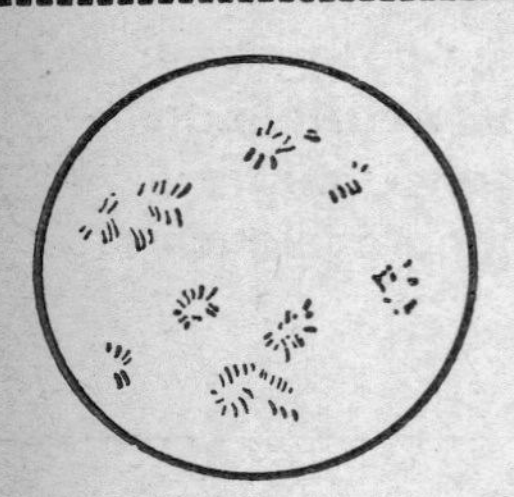

Questa è la luna.

La luna è rotonda.

Questa è la terra.
La terra è rotonda.

Questo è il cielo.

Questo è il sole.

Questa è una nuvola
in cielo.

Questa è la terra.

Il sole sorge ad Est.

Sorge tutte le mattine.

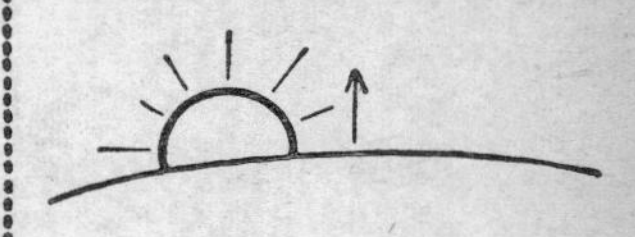

Il sole tramonta ad Ovest.

Tramonta tutte le sere.

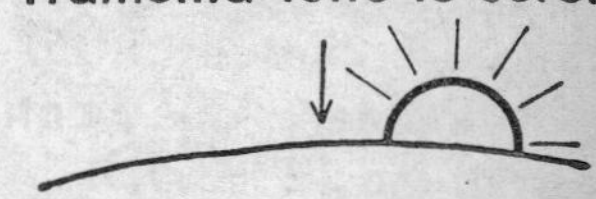

Che ora è?
Sono le cinque e otto minuti.

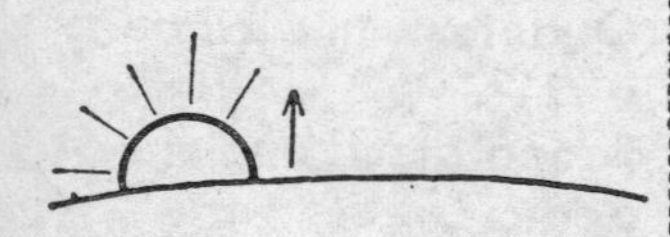

Il sole sorge la mattina alle cinque e otto minuti (5.08).

Che ora è?
Sono le diciassette e venti (17.20).

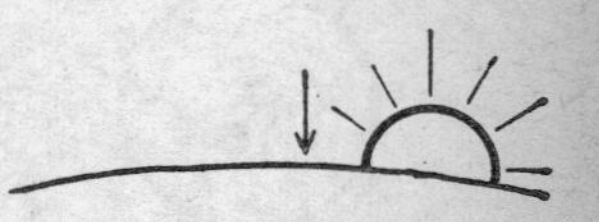

Il sole tramonta la sera alle diciassette e venti (17.20).

Ieri il sole è sorto alle cinque e sette minuti, è tramontato alle venti e diciannove (20.19).

Oggi il sole è sorto alle cinque e sei (5.06), e tramonterà alle venti e venti (20.20).

Domani sorgerà alle cinque e cinque (5.05) e tramonterà alle venti e ventuno (20.21).

Questa è la notte.

Quella è una stella.

Questo è il mattino.

Il sole sorge.
Questa è la terra.

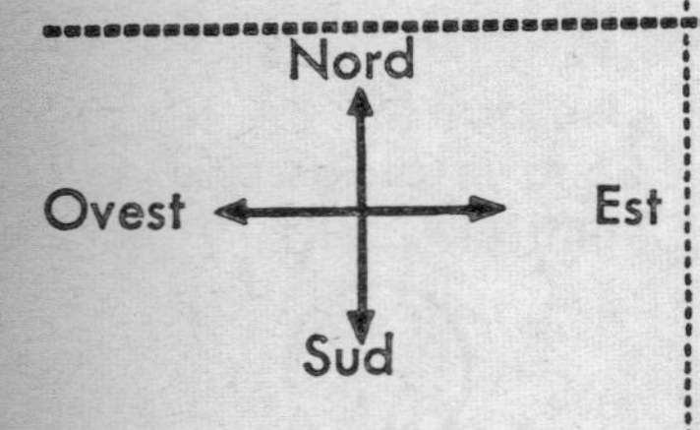

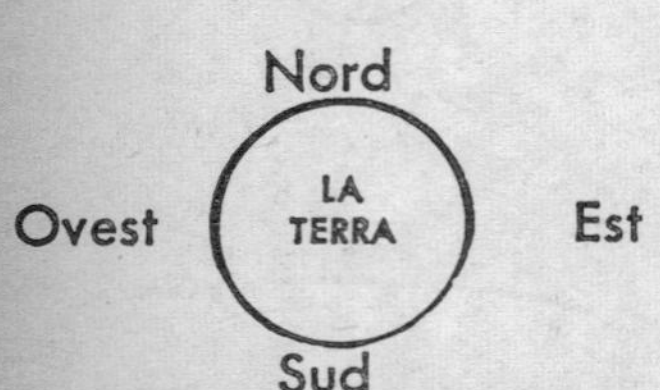

Nord, Sud, Ovest ed Est sono i quattro punti cardinali.

Vi sono ventiquattro ore in un giorno.
Ventiquattro ore fanno un giorno.
Due e due fanno quattro
Tre e cinque fanno otto.
Quanto fanno cinque e sei?
Fanno dieci, undici o dodici?
Questa è la domanda.
La risposta è: "Undici."

Dica questi numeri:
1-2-3-4-5-6-7-8-9-
10-11-12

Quale numero viene
dopo il 12?
Tredici.
Quale numero viene
dopo il 13?
Quattordici.
Quale numero viene
dopo il 14?
Quindici.

Quali numeri vengono
dopo il 15?
Sedici — 16
Diciassette — 17
Diciotto — 18
Diciannove — 19
Venti — 20

Venti 20

Ventuno 21

Trenta 30

Trentuno 31

Quaranta 40

Quarantuno 41

Cinquanta 50

Cinquantuno 51

Sessanta 60

Settanta 70

Ottanta 80

Novanta 90

Cento e uno 101

Mille 1000

Un milione 1.000.000

CHE COSA SONO QUESTI OGGETTI?

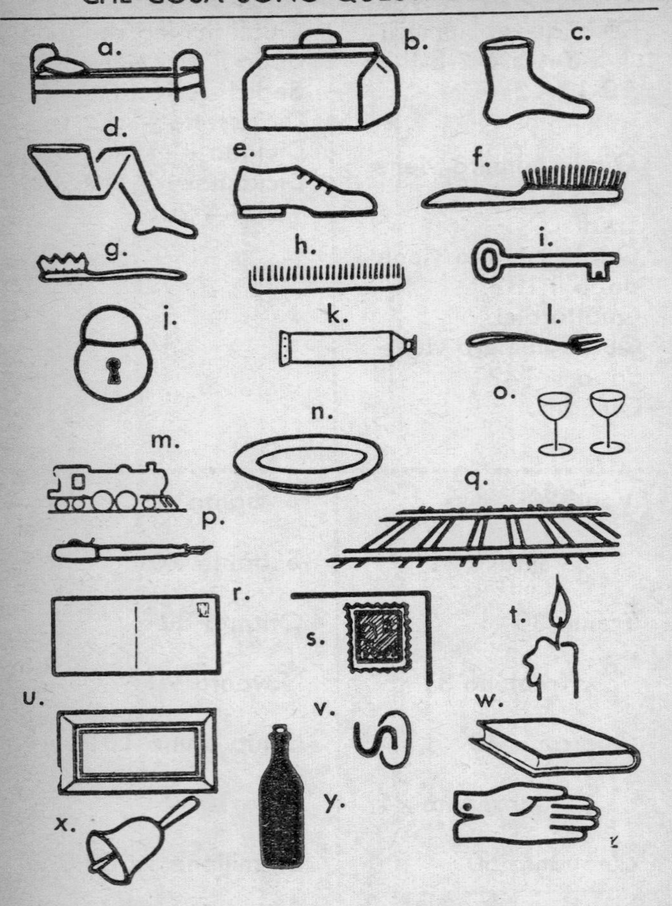

Le risposte a pagina 145.

DOMANDE

a. Quanto fanno sette e undici?
Quanto fanno venti e quaranta?
Quanto fanno tredici e trenta?
Quanto fanno duecentotre e trecentoquattro?

b. Dove sorge il sole e dove tramonta?
Il giorno viene dopo la notte?
La notte viene dopo il giorno?

c. Questa è una lettera. Dove scriviamo il nome della strada, della città e della provincia del signor Monti?

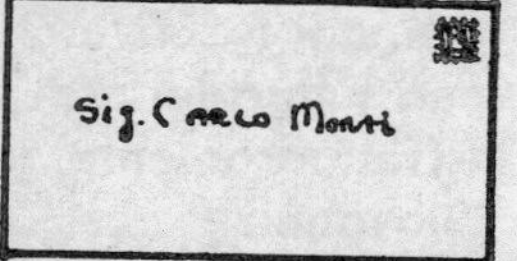

d. Il lavoro di Tommaso a scuola è d'imparare. Egli è uno scolaro. Qual'è il lavoro della maestra?

Le risposte a pagina 145.

Queste sono le risposte alle domande a pagine 136-137.

Pagina 136

a. Sono scarpe.
Egli si mette le scarpe.

b. Queste sono camice.
Egli mette le camice nella valigia.

c. Sono il dentifricio e lo spazzolino da denti.
Ella si lava i denti con lo spazzolino da denti.

d. Questo è sapone.
Ella si lava le mani.

Pagina 137

a. Egli ha comperato il suo biglietto alla biglietteria della stazione.

b. Per il biglietto ha pagato Lire 7000.

c. Ha viaggiato dieci ore.

d. No, egli non è andato in aeroplano. È andato in treno.

e. Essi hanno detto: "Hai fatto un buon viaggio?"

f. Egli ha scritto: Ho fatto un buon viaggio. Domani ti scriverò una lunga lettera. Affettuosamente, Giovanni.

g. A scuola essi imparano a leggere e a scrivere.

h. Ella ha mandato i saluti di Tommaso e Giannina.

Risposte alle domande a pagine 142-143.

Pagina 142

a. un letto
b. una valigia
c. un sacchetto
d. una calza
e. una scarpa
f. una spazzola per i capelli
g. uno spazzolino da denti
h. un pettine
i. una chiave
j. una serratura
k. un dentifricio
l. una forchetta
m. una locomotiva
n. un piatto
o. due bicchieri
p. una penna
q. le rotaie
r. una cartolina
s. un francobollo
t. una fiamma
u. una cornice
v. un gancio
w. un libro
x. una campana
y. una bottiglia
z. un guanto

Pagina 143

a. Diciotto
Sessanta
Quarantatre
Cinquecentosette

b. Il sole sorge ad Est e tramonta ad Ovest. Sì, il giorno viene dopo la notte. Sì, la notte viene dopo il giorno.

c. Scriviamo il nome della strada sotto il nome del signor Monti, il nome della città sopra il nome della provincia.

d. Il lavoro della maestra è di insegnare.

Il nome di questo ragazzo è Tommaso.

Questa ragazza si chiama Giannina.

Tommaso fa qualche cosa.

Giannina dice: "Che cosa fai, Tommaso?"

Tommaso dice:
"Faccio una casa."

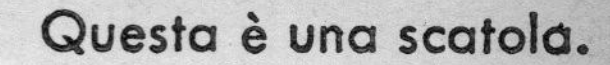

Questa è una scatola.

Ecco un lato della
scatola.

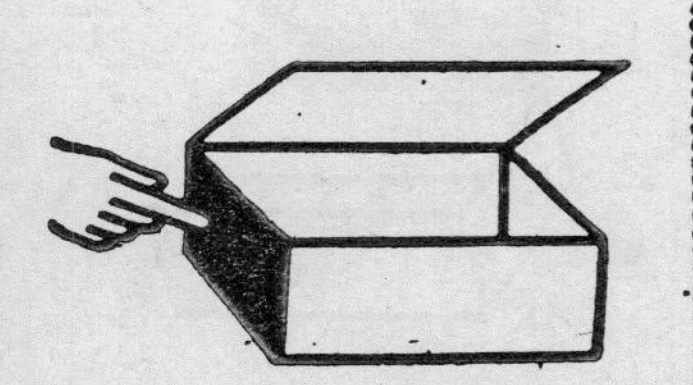

Questo è il lato opposto
della scatola.

Questo è il davanti della scatola.

Questo è il dorso della scatola.

Questo è il fondo della scatola.

Questo è il coperchio della scatola.

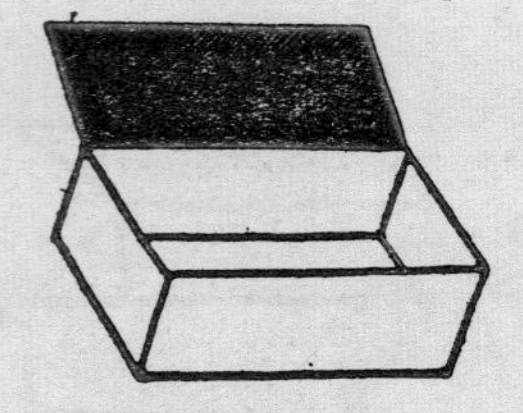

Questo lato sarà un muro della casa.

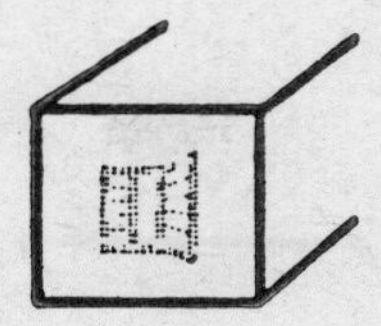

Metterò una finestra qui.

Questo sarà il muro opposto della casa.

Metterò un'altra finestra in questo muro.

Il davanti della scatola sarà la facciata della casa.

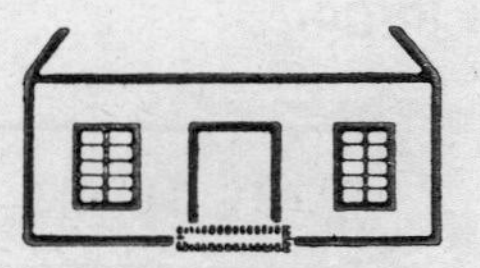

Metterò uno scalino davanti alla porta.

Questo è uno scalino.

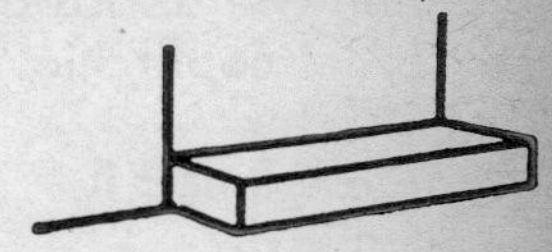

Questi sono scalini.

Tre scalini.
È una scala di tre scalini.

Giannina dice: "Una casa ha il tetto.
Metterai un tetto sulla casa?
Come farai il tetto?"

Farò il tetto col coperchio della scatola.

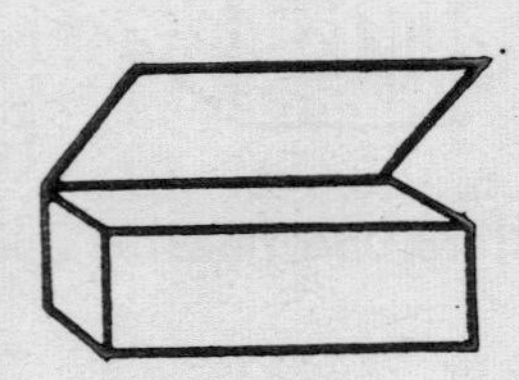

No, non vi è abbastanza legno nel coperchio.

Quanto è lungo il coperchio?

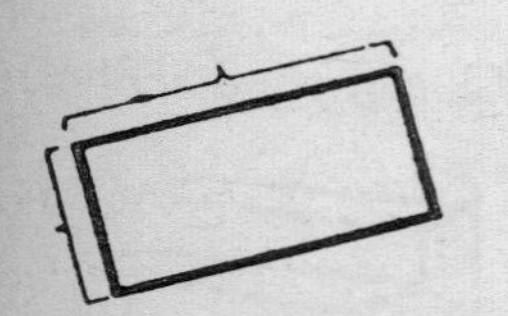

"Quanto è largo?"
"Adesso lo misuro."

Il coperchio non è abbastanza lungo.

Non è abbastanza largo.

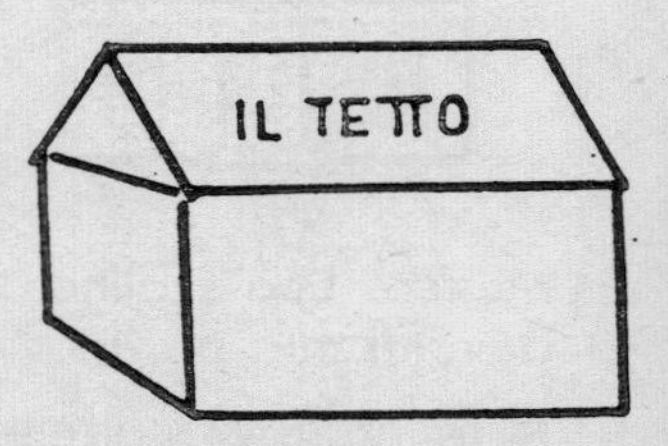

Ecco un pezzo di legno più largo.

Più lungo

Esso è più largo e più lungo.

Farò il tetto con quest'altro pezzo di legno.

Taglierò un pezzo di legno.
Lo taglierò da questo angolo.

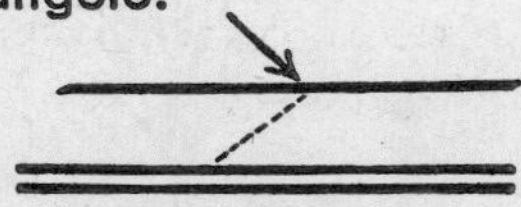

Un taglio.

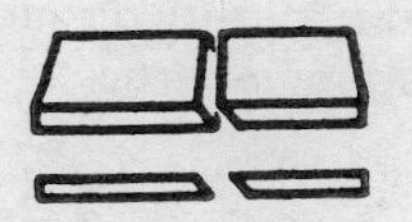

Io ho tagliato il legno in due pezzi.

Questo è un angolo.

Questo è un altro angolo.

Questo è un angolo retto.

Questo è un altro angolo retto.

"Che cosa fai, Tommaso?"
"Misuro il legno."

È legno buono.

Ecco una misura.

Gli alberi danno il legno.

Questi sono alberi.

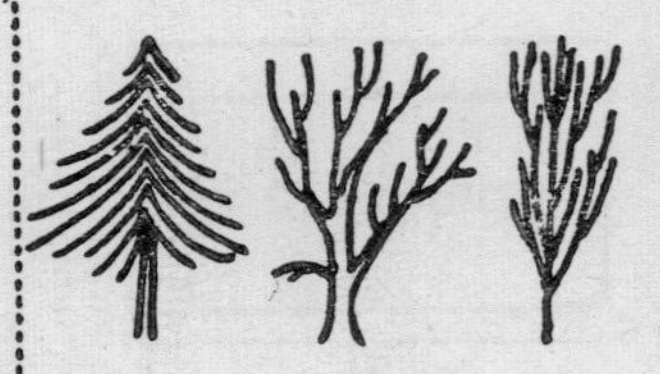

C'è legno duro e legno tenero.

Questo è un albero.

Queste sono le radici.

Alcuni alberi danno legno duro.

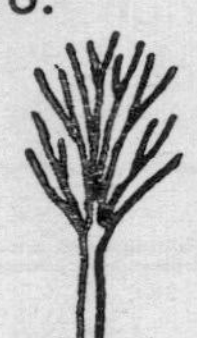

Altri alberi danno legno tenero.

Adesso taglio questo pezzo di legno.

La lama taglia il legno.

Questo è il mio coltello. Questa è la lama del mio coltello.

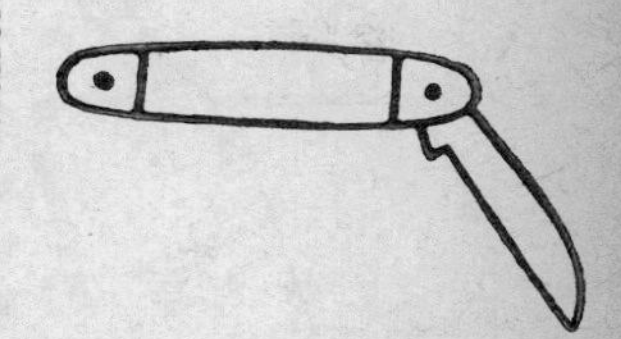

Io faccio una linea sul legno. Faccio una linea con la matita.

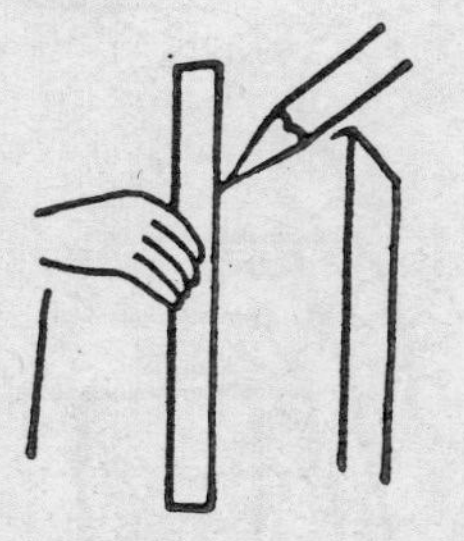

Questa è la matita.

Questa è la linea.

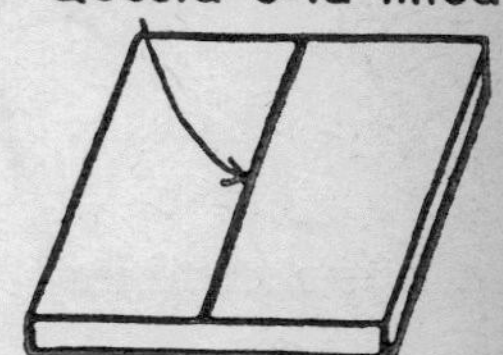

"Tieni il coltello sopra la linea quando tagli."

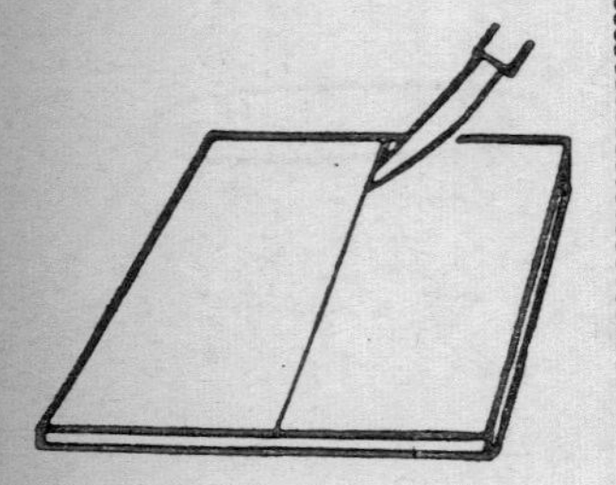

Oh! il taglio non è sulla linea.

"Hai sbagliato. Non hai tagliato diritto."

"È colpa tua! Hai mosso il tavolo."

No, non è vero.
Il tuo coltello è
uscito fuori dalla
linea.

Sì, è uscito fuori
dalla linea.

Fallo
nuovamente!

Non c'è male.

Ecco
la
linea

ed ecco
il taglio.

Una linea diritta.

Una linea storta.

Tommaso fa un altro
taglio.

Così va meglio.
Il taglio è diritto.
La lama del coltello
è andata diritta. Bravo!

Adesso ho questi due pezzi di legno.

Li metterò insieme così.

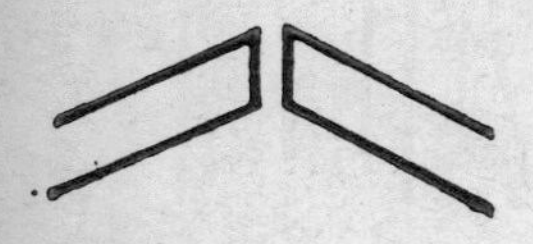

Ecco il tetto della casa.

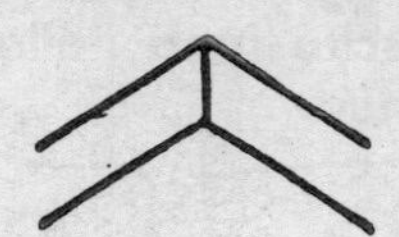

Adesso metterò insieme le due parti del tetto con i chiodi.

Questi sono chiodi.

Farò un buco attraverso questa parte del tetto fino alla parte opposta.

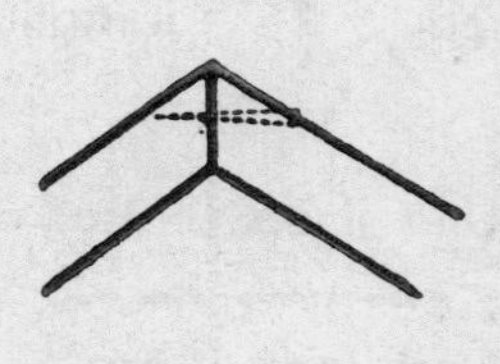

Tommaso fa i buchi per i chiodi.

Adesso mette i chiodi con il martello.

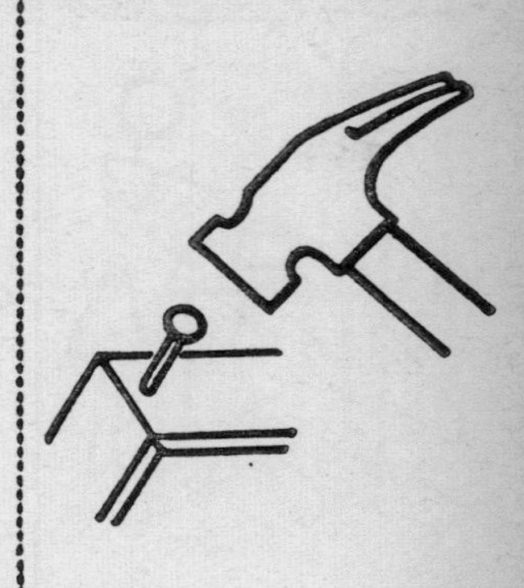

Adesso le due parti del tetto sono insieme.

Questi sono i chiodi.

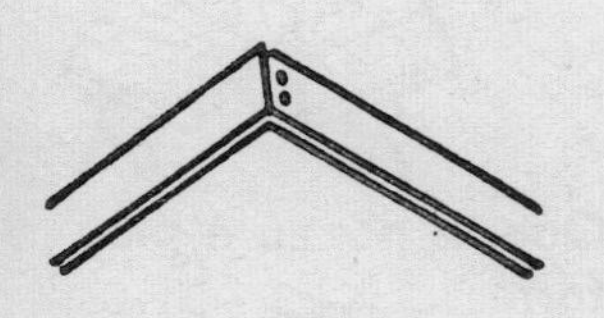

Il tetto è fatto.

"È forte il tetto?"

"Oh, sì, è molto forte."

È lunga questa linea?

Questa linea è più lunga.

È forte questo pezzo di legno?

Questo pezzo è più forte.

Questi sono i sostegni per il tetto.

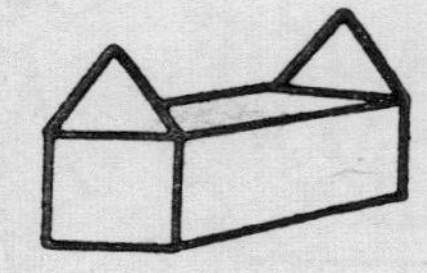

"Metterai un altro sostegno?"

"Dove?"

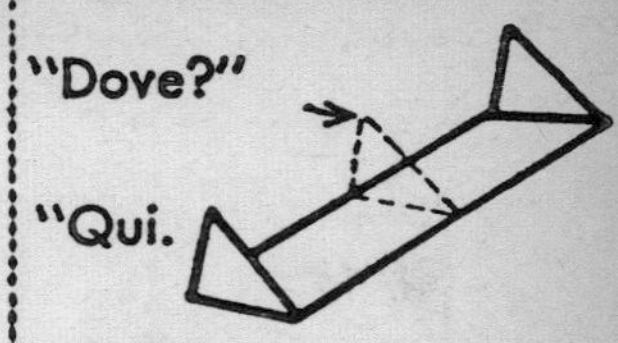

"Qui.

Al centro."

"Sì, così va meglio."

Questa è una linea diritta.

Questa è un'estremità di essa.

Questa è l'altra estremità.

Questo è il centro di essa.

Questa è una linea storta.

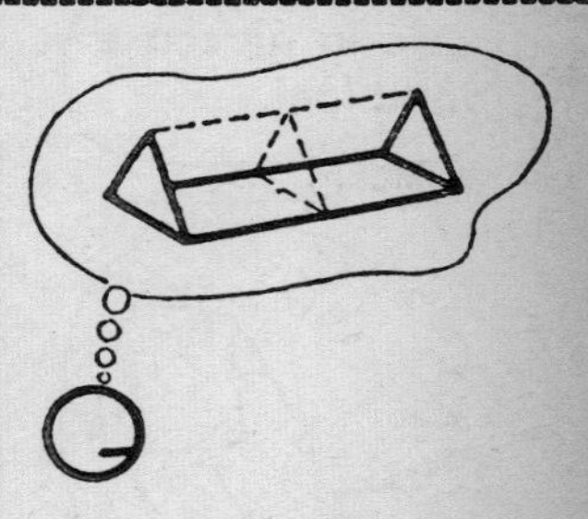

Sì, il tetto sarà più forte con il sostegno al centro.

Giannina fa qualche cosa.

Ecco i pantaloni.

Ecco la giacca.

La giacca ha il bavero?

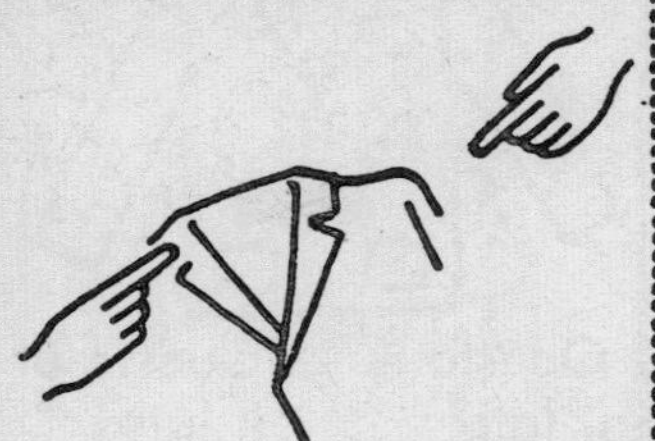

Sì, lo ha.
Ecco il bavero.

Questo è il davanti della giacca.

Ecco il bavero della giacca.

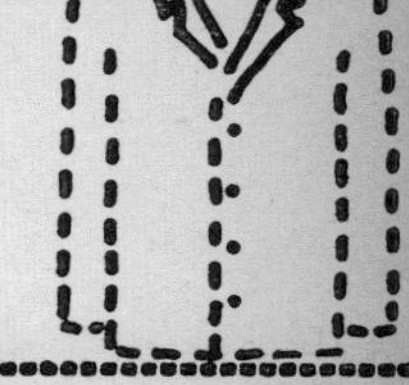

Questo è il dorso della giacca.

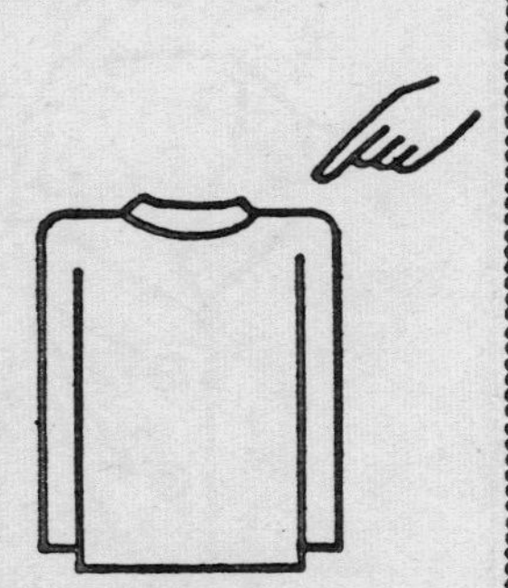

Questo è il lato destro di essa.

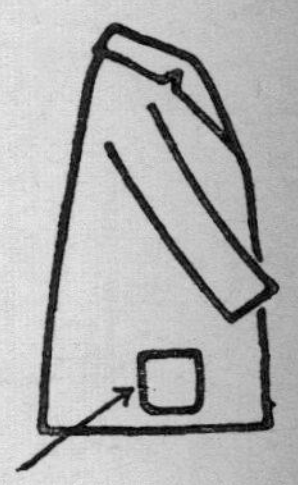

C'è una tasca.

Ecco il lato sinistro.

Questo è il lato destro.

Questo è il lato sinistro.

Queste sono le maniche della giacca.

La manica destra.

La manica sinistra.

Questi sono i bottoni della giacca.

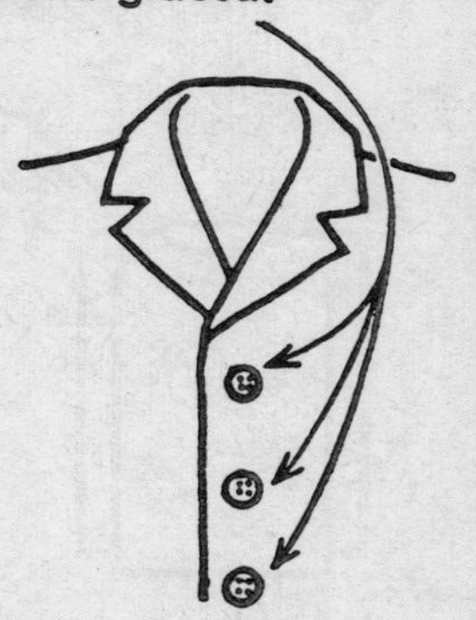

Questo è un bottone.

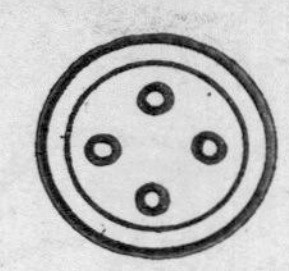

Questo è un ago.

Questo è un occhiello.

Questo è filo.

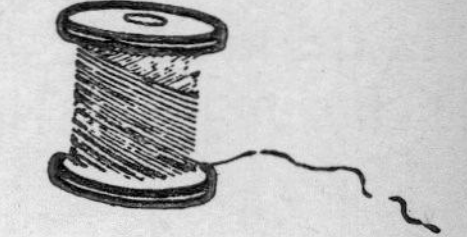

"Che fai ora con l'ago?"

"Metto questo bottone alla giacca.
Lo cucio."

"Ed io faccio gli occhielli."

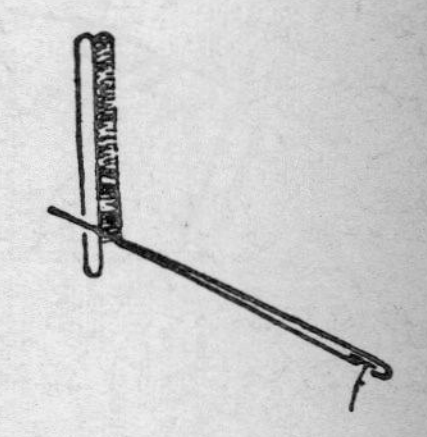

La ragazza infilerà l'ago.

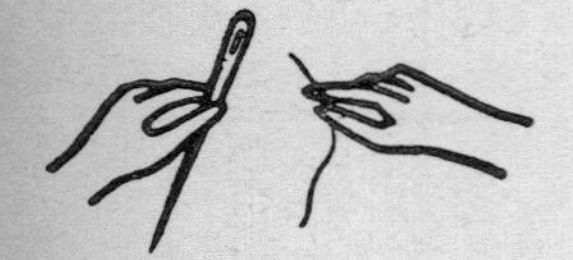

Ella ha l'ago fra le dita di una mano ed il filo fra le dita dell'altra mano.

Questa è un'estremità del filo.

Questa è la cruna dell'ago.

L'estremità del filo non va nella cruna dell'ago.

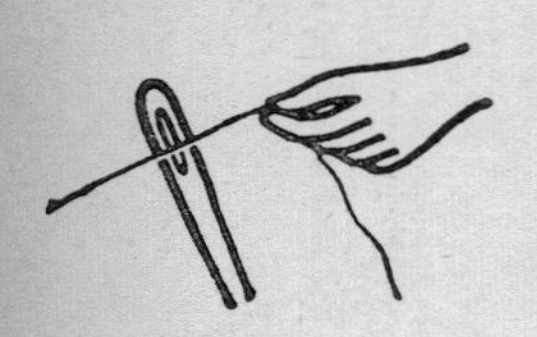

Il filo non è andato nell'ago.
Non è ancora nella cruna dell'ago.

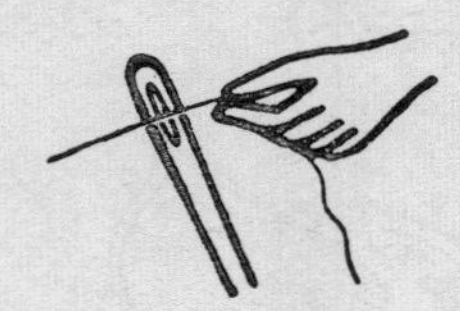

È da un lato dell'ago.

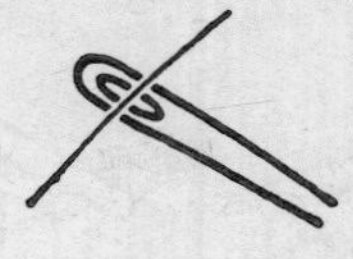

È da questo lato dell'ago.

Adesso la ragazza prova nuovamente.
L'estremità del filo è andata nella cruna?
No, è dall'altro lato dell'ago.

La ragazza prova nuovamente.
Questa volta il filo andrà nella cruna.
L'estremità del filo è diritta.

Fatto! La ragazza prende l'estremità del filo fra le dita.
L'ago è infilato.

Dove sono le forbici?
Eccole!

Questa lama è stretta.

Questa lama. è larga.

Questa è una strada stretta.

Questa è una strada larga.

Questi pantaloni sono larghi.

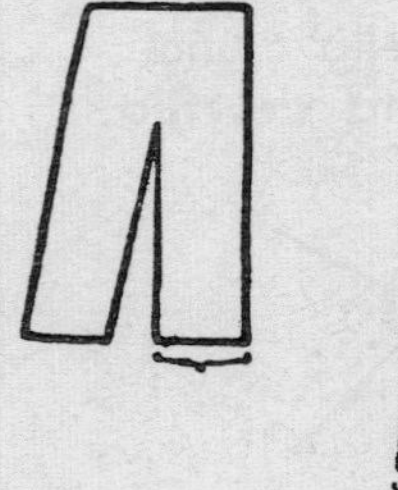

Questi pantaloni sono stretti.

DOMANDE

a. Questi sono due muri.

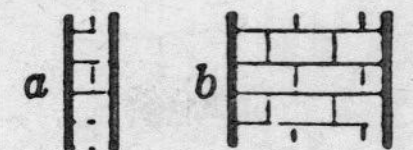

Qual'è più largo: il muro A o il muro B?

b. Questi sono due tagli.

Qual'è più largo: il taglio A o il taglio B?

c. Questi sono due chiodi. Qual'è più lungo?

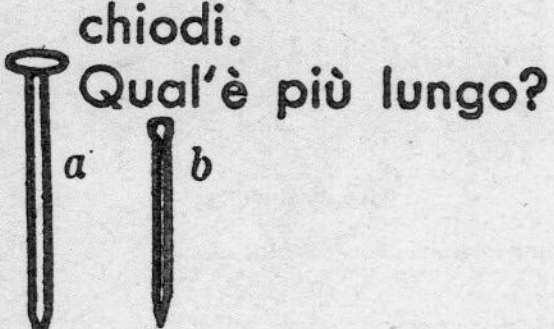

d. Quale di questi due uomini è più forte?

e. Quale di queste due matite è più corta?

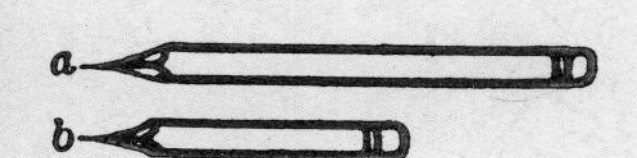

f. Quale di queste cartoline è più lunga?

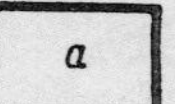

Qual'è più larga?

g. Quale di questi tre angoli è un angolo retto?

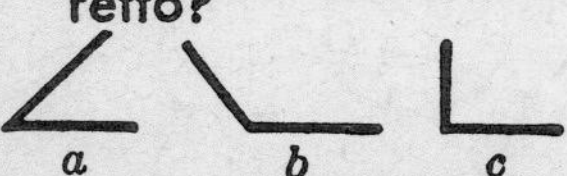

h. Quale di questi oggetti è rotto?

Le risposte a pagina 170.

DOMANDE

a. Che cosa fa?

b. Che cosa fa ella?

c. Che cosa fa?

d. Che cosa fa egli?

e. Che cosa fa?

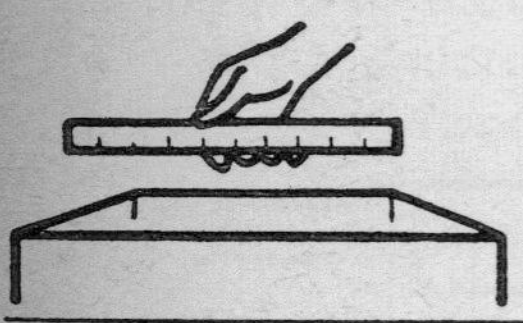

f. Che cosa fa ella?

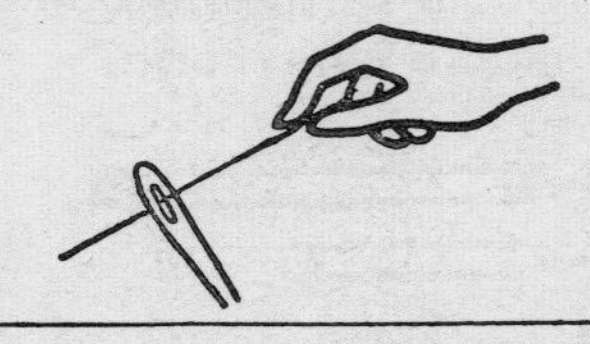

g. Che cosa fa?

h. Che cosa fa ella?

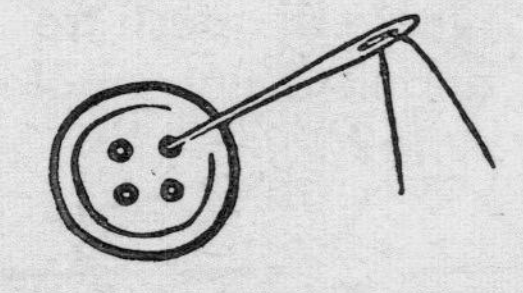

Le risposte a pagina 170.

DOMANDE

A. Che cosa sono questi?

B. Quali di essi vanno nell'aria?

C. Quali di essi vanno sull'acqua?

Le risposte a pagina 170.

Le risposte alle domande a pagine 167, 168 e 169.

Pagina 167

a. Il muro B è più largo.

b. Il taglio B è più largo.

c. Il chiodo A è più lungo.

d. L'uomo che è in piedi è più forte.

e. La matita B è più corta.

f. La cartolina B è più lunga. La cartolina A è più larga.

g. L'angolo C è un angolo retto.

h. La tazza, il martello ed il piatto sono rotti.

Pagina 168

a. Egli sale gli scalini.

b. Ella scende gli scalini.

c. Egli mette un chiodo col martello.

d. Egli leva un chiodo dal muro con il martello.

e. Egli misura una scatola.

f. Infila l'ago.

g. Ella prende l'estremità del filo tra due dita.

h. Ella cuce il bottone con l'ago ed il filo.

Pagina 169 A.

a. un treno
b. la locomotiva
c. un aeroplano
d. una sedia
e. una nave
f. un fiore
g. le montagne
h. due alberi
i. una stella
j. una nuvola
k. il sole
l. la luna
m. un maiale
n. una pecora
o. un cavallo
p. una mucca
q. un cane
r. una capra
s. una giacca
t. un uccello
u. i pantaloni
v. una tazza
w. un coltello
x. un cucchiaio
y. le forbici

B. Gli aeroplani e gli uccelli vanno nell'aria.

C. Le navi vanno sull'acqua.

La terra gira intorno a sè stessa in ventiquattro ore.

In un giorno vi sono ventiquattro ore.

Il sole sorge e tramonta tutti i giorni perchè la terra gira intorno a sè stessa.

La terra gira intorno al sole in un anno.

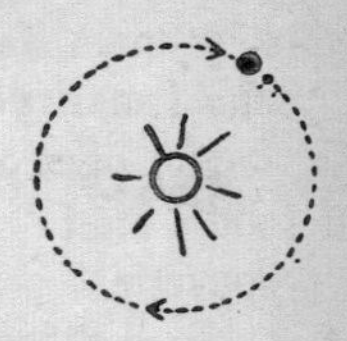

In un anno vi sono trecentosessantacinque giorni.

Trecentosessantacinque giorni fanno un anno.

In una settìmana vi sono sette giorni. Sette giorni fanno una settimana. Ecco i nomi dei giorni della settimana. Lunedì, martedì, mercoledì, giovedì, venerdì, sabato e domenica. Lunedì viene dopo la domenica. Lunedì viene prima di martedì.

In un mese vi sono trenta, trentuno o ventotto giorni. Ecco i nomi dei mesi:

Gennaio (31)
Febbraio (28)
Marzo (31)
Aprile (30)
Maggio (31)
Giugno (30)
Luglio (31)
Agosto (31)
Settembre (30)
Ottobre (31)
Novembre (30)
Dicembre (31)

Gennaio viene prima di Febbraio.

Febbraio viene dopo Gennaio.

Questi sono i mesi dell'inverno:
dicembre, gennaio, febbraio.
Questi sono i mesi dell'estate:
giugno, luglio, agosto.
Questi sono i mesi
della primavera:
marzo, aprile e maggio.
Questi sono i mesi
dell'autunno:
settembre, ottobre e novembre.

Nel nord, la terra è
fredda d'inverno.
Il vento è freddo.
La neve cade dal cielo.
Non vi sono foglie sugli
alberi.
Sull'acqua c'è
ghiaccio.
I giorni sono corti.

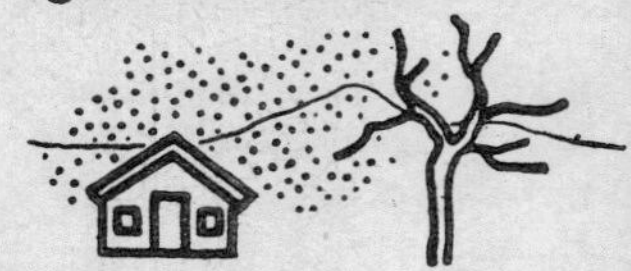

Nel nord la terra e
l'aria sono calde
d'estate. Vi sono le
foglie sugli alberi.
I giorni sono lunghi.
Non c'è nè ghiaccio
nè neve.

Nella primavera
foglie e fiori sono sulle
piante e sugli alberi.

Nell'autunno le foglie cadono dai rami degli alberi.
L'autunno è la stagione della caduta delle foglie.

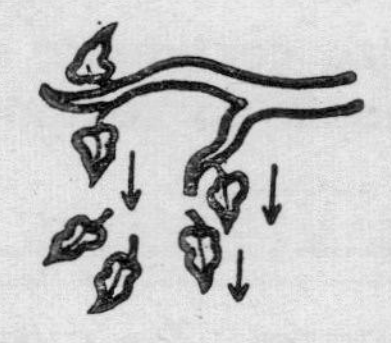

Esse cadono.

A primavera i giorni diventano più lunghi.
Ogni giorno è più lungo del giorno prima.
A primavera oggi è più lungo di ieri.
In autunno i giorni diventano più corti.
Ogni giorno è più corto del giorno prima.
In autunno oggi è più corto di ieri.

Questa linea

———————

è più lunga di

———

quest'altra.

Il tempo che passa fra le tre e le quattro è più corto del tempo che passa fra le tre e le cinque.

Un'ora è meno di due ore.

Quindici minuti fanno un quarto d'ora.

Trenta minuti fanno mezz'ora.

Quarantacinque minuti fanno tre quarti d'ora.

Qual'è più corto: un quarto d'ora o mezz'ora?

Quale è più corta: la lancetta dei minuti o la lancetta delle ore dell'orologio?

Questo è un centimetro.

La distanza fra A e B è di un centimetro.

Mezzo centimetro è meno di un centimetro.

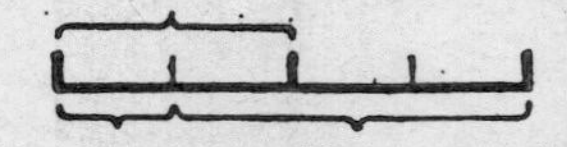

Un quarto di centimetro   Tre quarti di centimetro.

100 centimetri fanno un metro.

Quanto è lungo un metro?
Un metro è lungo 100 centimetri.

Vi sono 100 centimetri in un metro.

1000 metri fanno un chilometro.

I centimetri, i metri ed i chilometri sono misure di lunghezza.

Vi sono duecento chilometri fra Napoli e Roma.
Vi sono 600 chilometri da Roma a Milano.

Che cosa fanno questi ragazzi?
Essi fanno una passeggiata.
Essi passeggiano.

In un'ora egli farà due chilometri ed ella ne farà quattro.
Egli è lento. Ella è veloce.
Ella è più veloce di lui.
Egli è più lento di lei.

Questo è un treno.

I treni sono più veloci dei cavalli e degli uomini.
Questo è un aeroplano.

Gli aeroplani sono più veloci dei treni, dei cavalli e degli uomini.

Questo bambino ha
un anno.

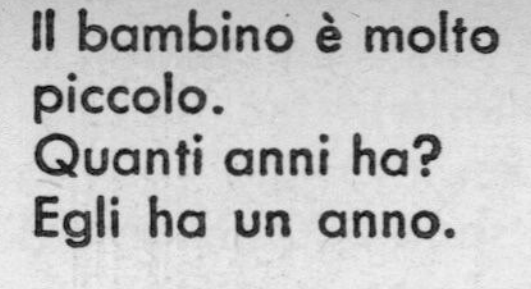

Questo
ragazzo ha
dieci anni.

Quest'uomo ha
trent'anni.

Quest'uomo è
vecchio. Egli
ha novant'anni.
Ha in mano
un bastone.

Il bambino è molto
piccolo.
Quanti anni ha?
Egli ha un anno.

L'uomo col bastone
è molto vecchio.
Quanti anni ha?
Egli ha novant'anni.

Questa scatola è
lunga dieci centimetri,
è larga cinque
centimetri, è alta tre
centimetri.

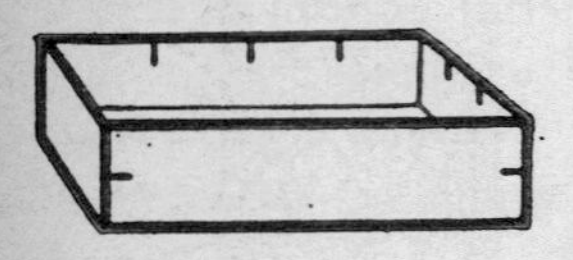

Quanto è lunga?
Quanto è larga?
Quanto è alta?

Questa stanza è lunga
sette metri, è larga
cinque metri, è alta tre
metri.

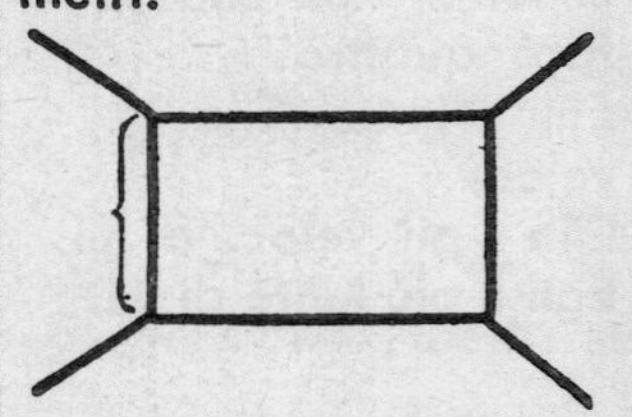

Quanto è alta la
stanza?
È alta tre metri.

Questa è una giacca corta.

Questa è una giacca più lunga.

Questa giacca è la più lunga di tutte e tre.

Questo è un libro piccolo.

Questo è un libro più grande.

Questo è il più grande dei tre.

Questa è una strada stretta.

Questa è una strada più larga.

Questa è la più larga delle tre.

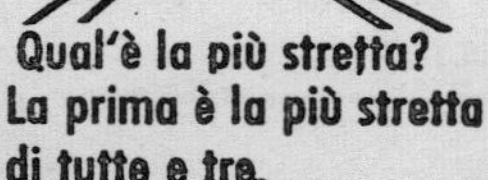

Qual'è la più stretta?
La prima è la più stretta di tutte e tre.

Questa è una faccia sporca.

Questa è una faccia più pulita,

Questa è la faccia più pulita.

Qual'è la faccia più sporca?

La prima è la faccia più sporca di tutte e tre.

Il vetro
è più duro del
legno.

Il legno è più duro
del pane.

Il pane è più duro
del burro.

Qual'è il meno duro
di essi?
Qual'è il più duro?

Quest'uomo è più alto
di questo ragazzo.

Il ragazzo è
più alto del
bambino.

Quale di essi è
il più alto?
Il bambino è il più piccolo.
Egli è molto piccolo.

Quest'uomo è
più forte di
questo
ragazzo.

Il ragazzo
non è tanto
forte quanto
l'uomo.

Il bambino è più piccolo del
ragazzo ed è meno forte.

Questa linea

è lunga quanto
quest'altra.

Le due linee sono
uguali.

Questa linea

non è lunga quanto
quest'altra.

Esse non sono uguali.

Un treno può fare 100 chilometri all'ora.

Un aeroplano può fare 500 chilometri all'ora.

I treni e gli aeroplani sono diversi mezzi di trasporto.

Quali sono gli altri mezzi di trasporto?

Le navi sono un altro mezzo di trasporto.

Le navi vanno sull'acqua e gli aeroplani volano.

Automobili, cavalli e carrozze sono altri mezzi di trasporto.

Aeroplani, treni, navi, automobili, cavalli e carrozze ci portano da un luogo ad un altro.

Noi possiamo andare da un luogo ad un altro a piedi.
Quando andiamo a piedi, camminiamo.

Questi due uomini camminano.

Possiamo andare in treno o sulla nave, in automobile o in aeroplano, a cavallo o in carrozza.

Quest'uomo va a piedi. Egli cammina.

Quell'uomo va in automobile. Egli non cammina.

Alcuni luoghi sono vicini l'uno all'altro.

o o

Altri luoghi sono lontani l'uno dall'altro.

o o

I luoghi intorno a Napoli sono vicini l'uno all'altro.

Certi luoghi in Italia sono lontani l'uno dall'altro.

Ecco la carta geografica d'Italia.

L'Italia ha la forma di uno stivale. La Sardegna e la Sicilia sono due isole italiane.

Queste sono montagne.

Queste sono ferrovie.

Queste sono strade.

Questi sono fiumi.

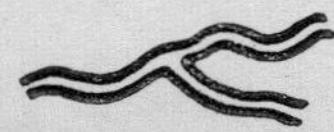

Gli uomini vanno in montagna.
Le montagne sono alte.

I treni vanno sulle rotaie.

Una strada

Un fiume

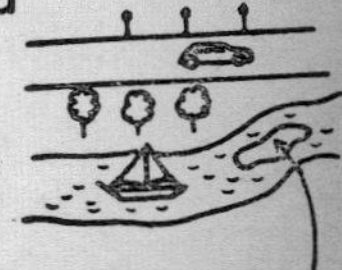

Un'isola

Roma, Milano, Firenze e Napoli sono grandi città.

Questa è una città.

Il governo d'Italia è a Roma.

Il governo degli Stati Uniti è a Washington.

Qual'è la distanza tra Roma e New York?
La distanza tra Roma e New York è di 6.000 chilometri.

La distanza tra Roma e Parigi è di circa 1800 chilometri.

Qual'è la distanza tra New York e Los Angeles?
La distanza tra Los Angeles e New York è di 3000 chilometri.

Il treno va da New York a Los Angeles in 60 ore.

Questa è la terra.
Noi la vediamo dal Nord.
Questo è l'emisfero Nord.

In questo emisfero c'è più terra che acqua.

Questa è la terra.
Noi la vediamo dal Sud.
Questo è l'emisfero Sud.

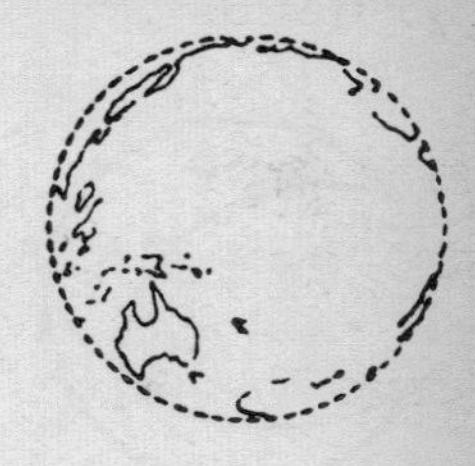

In quest'altro emisfero c'è più acqua che terra.

Questa è la luna.

La luna fa il giro intorno alla terra in un mese.

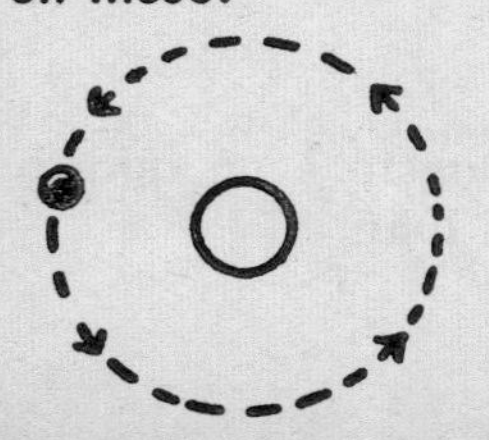

Vediamo l'altra parte della luna?

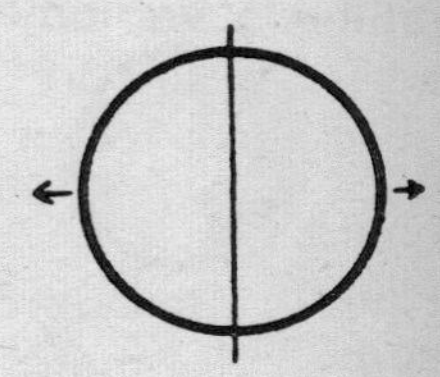

No, vediamo sempre la stessa parte della luna. Perchè?

Noi vediamo sempre la stessa parte della luna perchè essa gira su sè stessa.

La luna.

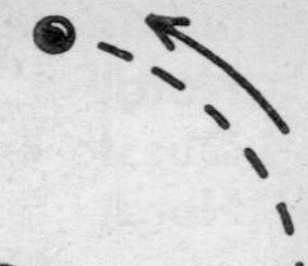

La terra.

La luna gira intorno alla terra e gira su sè stessa. Ecco perchè vediamo sempre la stessa parte della luna.

Noi vediamo sempre la stessa parte della luna.
Alle volte la vediamo così.

Una metà della luna è oscura.

L'altra metà è luminosa.

Questa è mezza luna.

Qualche volta vediamo la luna così.

Questa parte è oscura.

Questa parte è luminosa.

Questo è un quarto di luna.

Questa è la luna nuova.

Questo è un cappello nuovo.

Questo è un cappello vecchio.

Questa è la luna piena.

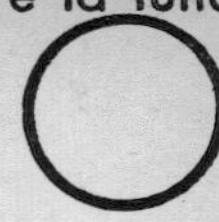

Questo bicchiere è pieno.

Questo bicchiere non è pieno.

Queste sono le fasi della luna.

Luna piena 

Primo quarto 

Luna nuova 

Ultimo quarto 

Che cos'è una fase? Una fase è un cambiamento.

Ecco un cambiamento nella direzione di questa linea.

Ecco un altro cambiamento.

Ecco due treni.
L'uomo era in questo treno.
Egli va nell'altro treno.
Egli cambia treno.

Le patate erano dure.
Adesso sono molli.

Questo è un cambiamento.

Le patate sono diverse adesso: hanno cambiato di qualità.

Quest'acqua è fredda.

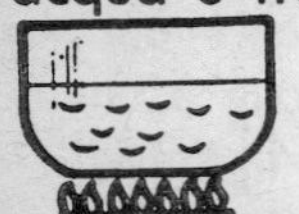

Adesso bolle.
Questo è un cambiamento.

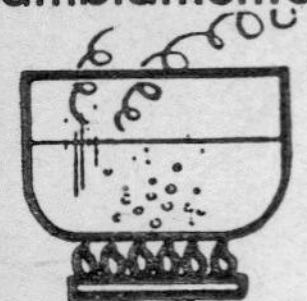

C'è stato un cambiamento nell'acqua.
È cambiata la temperatura dell'acqua.

D'estate le foglie sono sugli alberi.

D'autunno le foglie cadono.
Questo è un cambiamento.
Le foglie erano sugli alberi; adesso sono a terra.

Io ho preso un giornale
e ho dato cento lire
al giornalaio.

Egli ha preso il biglietto
da cento lire e mi ha
dato settantacinque
lire.

Questo è il denaro che
mi ha dato col (con il)
giornale.

Il prezzo del giornale
era di venticinque lire.
Io ho avuto il giornale
e settantacinque lire.

Io avevo un biglietto
da cento lire.
Ho comperato il giornale;
adesso ho il giornale e
settantacinque lire.
No ho più cento lire.

DOMANDE

a. Il ragazzo è più vicino alla donna o alla ragazza?

La ragazza è più vicina al ragazzo o alla donna?

b. Quale di questi due è più lontano dall'albero?

Il ragazzo è più lontano dall'albero o dalla ragazza?

c. Quale di questi due bicchieri è pieno d'acqua? Il bicchiere a destra o il bicchiere a sinistra?

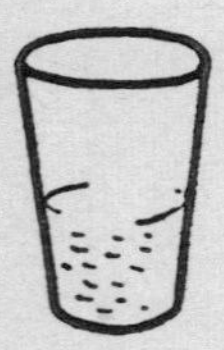

d. C'è più terra o acqua nell'emisfero sud della terra?

Le risposte a pagina 190.

DOMANDE

a. Quale di queste è una mezza luna, quale è luna piena, quale è un quarto di luna e quale è luna nuova?

b. Ho comperato un libro.
Ho dato mille lire al libraio.
Egli mi ha dato il libro e cinquanta lire.
Quale era il prezzo del libro?
Quanto è costato?

c. Che velocità può avere un treno?
Quanti chilometri può fare un uomo in un'ora:
uno o dieci?

d. Quali sono i mezzi di trasporto?
Quale è il mezzo di trasporto più veloce?

Le risposte a pagina 190.

Le risposte alle domande a pagine 188-189.

Pagina 188

a. Il ragazzo è più vicino alla ragazza. La ragazza è più vicina al ragazzo che alla donna.

b. La ragazza è più lontana dall'albero. Il ragazzo è più lontano dall'albero che dalla ragazza.

c. Il bicchiere a sinistra è pieno d'acqua.

d. C'è più acqua che terra nell'emisfero sud.

Pagina 189

a. C è mezza luna.
B è luna piena.
D è un quarto di luna.
A è luna nuova.

b. Il prezzo del libro era di lire 950. Il libro è costato L.950.

c. Un treno veloce può fare 150 chilometri all'ora. Un uomo può fare un chilometro, ma non dieci.

d. Navi, treni, cavalli, carrozze ed aeroplani sono mezzi diversi di trasporto. L'aeroplano è il più veloce di tutti.

La distanza dal Polo Nord al Polo Sud è di tredicimila chilometri.

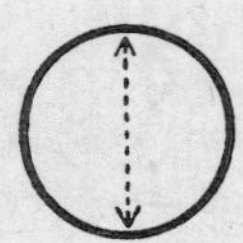

Qual'è la distanza tra la luna e la terra?

La distanza tra la luna e la terra è di trecentottantacinquemila chilometri.
(385,000 kms.)

Che cosa ha in mano?

Una palla.

Che cosa è in cielo?
In cielo c'è il sole.
Il sole è grande.
Il sole è una grande palla di fuoco.

Qual'è la distanza tra il sole e la terra?

La distanza tra il sole e la terra è di centocinquanta milioni di chilometri.
(150,000,000 kms.)

La luna è più piccola
della terra?

La terra è più piccola
del sole?
Il sole è più grande
della luna?

Sì, la luna è più
piccola della terra.

Sì, la terra è più
piccola del sole.

Sì, il sole è più
grande della luna.

La luna è vicina alla
terra.
La terra è lontana
dal sole.
Napoli è vicina a Roma.
Roma è lontana da
London.

Le stelle sono più
piccole del sole?
No, alcune stelle sono
molto più grandi del
sole.
Sono più vicine del sole?
No, esse sono molto più
lontane del sole.

Qual'è la distanza tra
la terra e la stella più
vicina?
La distanza è molto
grande.

Questa è una carta geografica.

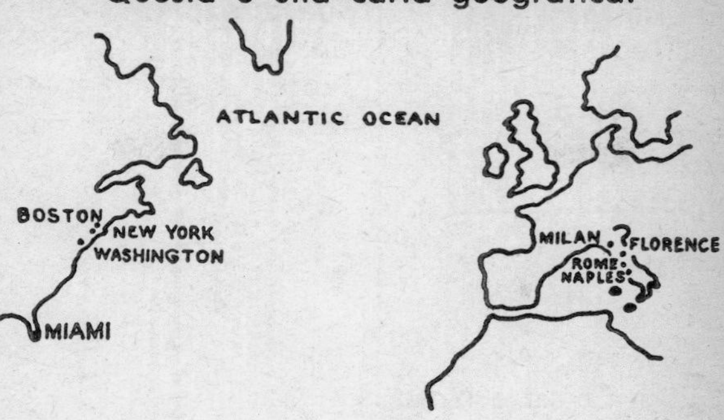

L'oceano atlantico è tra
gli Stati Uniti e l'Europa.
New York, Washington
e Boston sono tre città
americane.
New York è vicina a
Washington e Boston.

Milano, Firenze, Napoli
e Roma sono quattro
città italiane.
Roma e Napoli sono
vicine l'una all'altra,
ma sono lontane da
New York e Washington.

Il sole dà luce dappertutto.

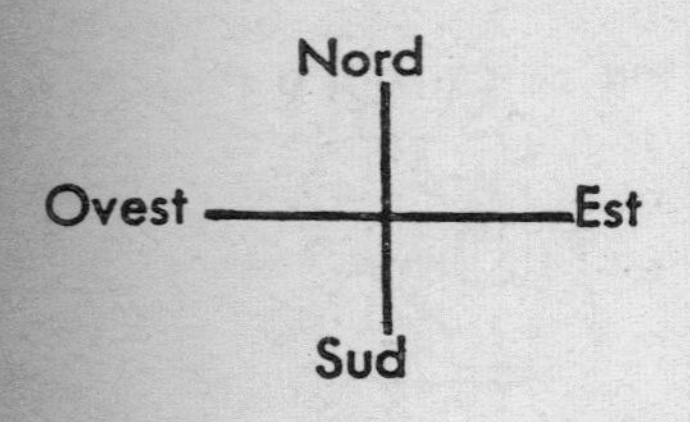

Est, Sud, Ovest e Nord indicano quattro direzioni.

Su e giù indicano altre due direzoni.

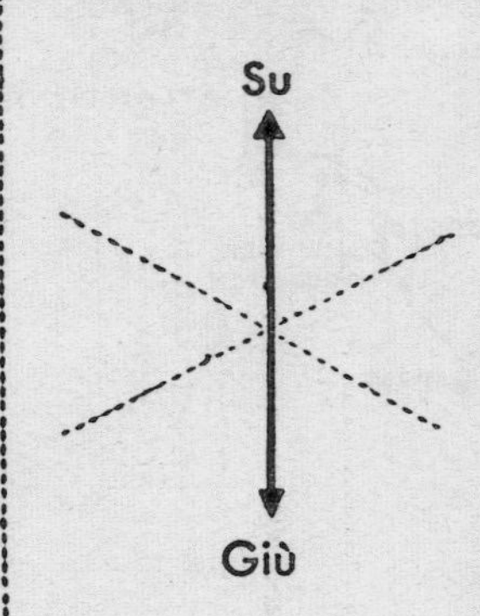

Questo ragazzo ha sei mele nelle mani.
Egli è sul ramo di un albero.

Egli getterà le sei mele in diverse direzioni.

Egli ha gettato una mela a nord, un'altra mela ad est, un'altra mela a sud e l'altra ad ovest.

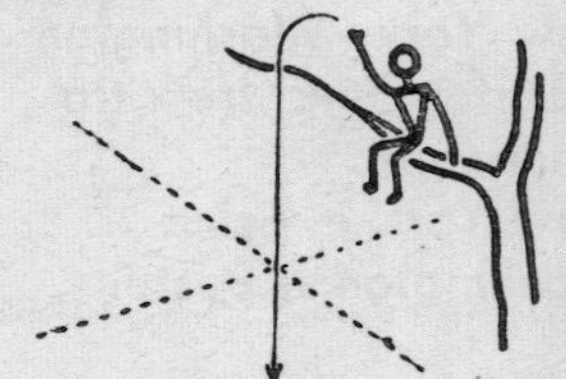

Ha gettato un'altra mela in giù.
Ha gettato cinque mele in cinque direzioni.

Egli ha gettato l'ultima mela in su.
Dopo essa è caduta.
Perchè è caduta?

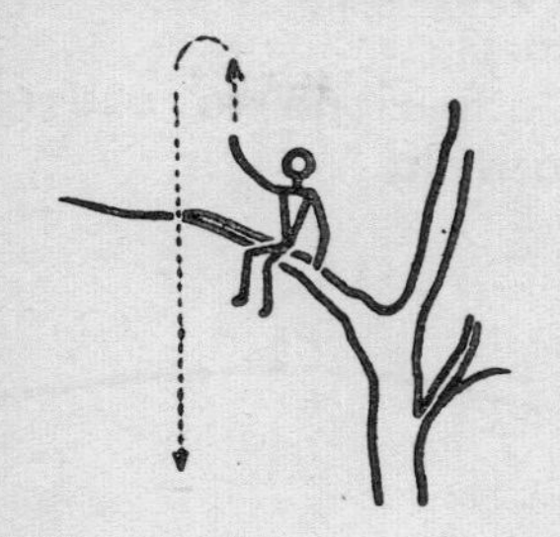

La prima mela è andata a nord e dopo è caduta.
Le altre mele sono andate a sud, ad est e ad ovest; dopo tutte sono cadute a terra.
Esse sono cadute tutte giù. Perchè?

Questi uomini sono in linea.

Questo è il primo uomo.

Questo è l'ultimo uomo.

Ecco tre cani.
Qual'è il primo cane?
Qual'è l'ultimo cane?
L'altro cane è quello in mezzo.
Esso è tra il primo e l'ultimo cane.
Due dei cani sono bianchi; l'altro è nero.
Il cane in mezzo è nero.

Ecco due corpi.
Uno è la terra.
L'altro è una mela.

La mela cade perchè c'è attrazione fra i due corpi.
L'attrazione fa cadere la mela.

Tutti i corpi che hanno un peso sentono l'attrazione della terra.

Ecco due pesi.

Quale corpo ha il maggior peso?

Ecco due uomini.

Quest'uomo è magro.
Il suo corpo è magro.

Quest'uomo è grosso.
Il suo corpo è grosso.

Quale dei due uomini pesa di più?

Questa è una bilancia.

La bilancia misura il peso delle cose e delle persone.

Gli orologi misurano il tempo.

Questo è un orologio.

Vi sono orologi da tasca, da polso e da parete.

Questo è un orologio da polso.

Il termometro misura il calore.

Il metro misura la distanza.

Il centimetro, il metro ed i chilometri sono misure di lunghezza.

L'uomo magro pesa cinquanta chili.

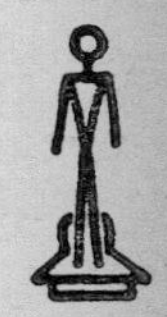

L'uomo grosso ne pesa ottanta.

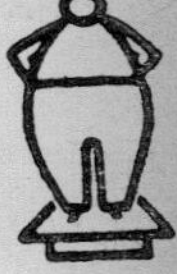

Essi sono sulle bilance.

Chi pesa di più?

DOMANDE

1. La mucca ci dà il latte. Il calore viene dal sole e dal fuoco. Da dove vengono queste cose?

a. patate	b. formaggio	c. luce
d. lettere	e. fiori	f. neve
g. arance	h. carne	

2.

a. Quali di queste cose hanno le gambe?

l'uomo	il cane	l'osso
l'orologio	l'albero	la capra
l'aeroplano	il fiume	il tavolo
la ghiacciaia	il maiale	il cavallo

b. Qualì di esse hanno una bocca?
c. Quali di esse hanno le mani?
d. Quali di esse hanno una porta?

Le risposte a pagina 200.

DOMANDE

a. Abbiamo messo una bottiglia nello scaffale. Quali di queste cose possiamo mettere nello scaffale? Una montagna, un libro, una tazza, una scatola, una stella, un orologio, una distanza, un cavallo, una carrozza, un piatto, una casa, un fiume, un cucchiaio?

b. Noi mettiamo le patate nel tegame. Quali di queste cose possiamo mettere in un tegame? Acqua, finestre, cibo, strade, tavole, latte, minestre, treni, sale, colori, uova, legno?

c. Noi mettiamo denaro nelle nostre tasche. Quali di queste cose possiamo mettere nelle nostre tasche? Pipe, educazione, lettere, matite, isole, carte geografiche, mani, governi, bottoni, orologi, distanze, palle, tetti, coltelli?

d. Noi ci mettiamo il cappello. Quali di queste cose possiamo metterci? Piedi, stivali, sedie, guanti, camice, muri, direzioni, giacche, sapone, coltelli, calze, pantaloni, rami, vassoi, scarpe, mele?

Le risposte a pagina 200.

Le risposte alle domande a pagine 198-199.

Pagina 198

1.

a. dalle radici della pianta
b. dal latte
c. dal sole e dal fuoco
d. dalle persone
e. dalle piante e dai semi
f. dal cielo e dalle nuvole
g. da un albero
h. dagli animali

2.

a. L'uomo, il cane, il maiale, la capra, il tavolo e il cavallo hanno gambe.
b. L'uomo, il cane, il maiale, la capra e il cavallo hanno una bocca.
c. L'uomo ha le mani.
d. La ghiacciaia e l'aeroplano hanno una porta.

Pagina 199

a. un libro, una tazza, una scatola, un orologio, un piatto, un cucchiaio.
b. acqua, cibo, latte, minestre, sale e uova.
c. pipe, lettere, matite, carte geografiche, mani, bottoni, orologi, palle e coltelli.
d. stivali, guanti, camice, giacche, calze, pantaloni e scarpe.

Che cos'è questo?
Questo è un ombrello.
Esso è aperto.
L'uomo l'ha aperto
sopra la sua testa.
Perchè?

Perchè piove.
L'acqua cade dal cielo.
L'acqua è pioggia.
La pioggia cade.
Piove.

L'uomo ha aperto
l'ombrello perchè
pioveva.
Egli l'ha aperto a causa
della pioggia.
Oggi è lunedì.
Ieri, domenica, era bel
tempo.
Non vi erano nuvole in
cielo.

Oggi, vi sono grosse
nuvole in cielo.
Esse sono tra noi ed
il cielo.
Noi non possiamo
vedere il sole.

La pioggia cade dalle nuvole sopra di me. Cade sulla mia testa.

La pioggia cade dalle nuvole. Cade sulle nostre teste.

Ieri il tempo era bello. C'era il sole. L'aria era calda.

Oggi il tempo è brutto. La pioggia cade. C'è vento. Il tempo è umido e freddo.

Forse domani il tempo sarà peggiore.
Sarà molto freddo.
L'acqua sarà ghiacciata.
La neve cadrà e tutto sarà bianco.
Domani sarà così?
Questo è inverno o estate?

Forse il tempo sarà buono domani; l'aria sarà calda, e le strade saranno asciutte.
Vi sarà il sole nuovamente. Sarà così domani? Avremo bel tempo?

Quali sono le cause di questi cambiamenti di tempo?

Ecco una linea.

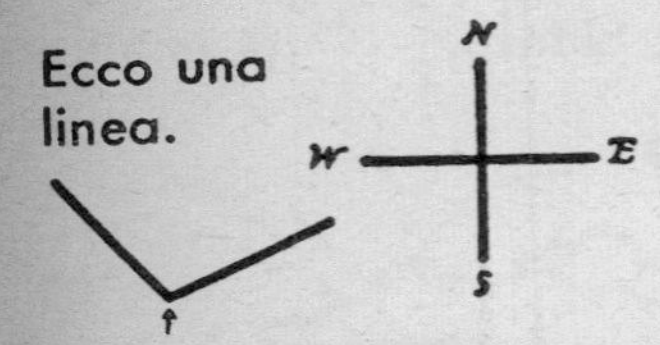

Ecco un cambiamento nella direzione della linea.

Quest'uccello è bagnato. Era sotto la pioggia.

Adesso è asciutto.

Questo è un cambiamento. Era bagnato. Adesso è asciutto.

Qual'è la causa di questi cambiamenti di tempo?

Bello	Brutto
Asciutto	Umido
Caldo	Freddo

Tempo

Non c'è una causa sola. Vi sono tante cause. Il cambiamento del calore che ci viene dal sole è una delle cause del cambiamento di tempo.

Il calore che la terra riceve dal sole cambia di tanto in tanto.
Vi sono cambiamenti nel sole.

Se lei guarda il sole attraverso un pezzo di vetro oscuro, vedrà piccole macchie sulla sua faccia.

Un dollaro è una piccola somma di denaro. Un milione di dollari è una grande somma di denaro. Una goccia di pioggia è una quantità d'acqua molto piccola.

In questo bicchiere c'è una piccola quantità di acqua.

Nel mare c'è molta acqua.
Questo è il mare.
Quelle sono navi sull'acqua.

Il cambiamento del calore che viene dal sole sulla terra è un'altra causa dei cambiamenti del tempo.
Questa scoperta è nuova.
Un uomo ha fatto questa scoperta nel 1944.

Egli ha misurato il calore che viene sulla terra dal sole ogni giorno.
L'intensità di calore cambia da un giorno all'altro.

Alcuni giorni il sole manda più calore sulla terra.
Altri giorni ne manda di meno.

C'è più acqua in questo bicchiere che in quello.

Gli uomini fanno nuove scoperte ogni giorno.
Colombo ha scoperto l'America nel 1492.
Colombo è venuto in America sulla sua nave nel 1492.

Quali sono le altre grandi scoperte?
Una di esse è il fuoco.

Il fuoco è di grande utilità all'uomo. Esso ci dà il calore.

Un'altra grande scoperta è la ruota.

Le ruote sono rotonde.

Esse girano.

Un carro.

Tutte queste cose sono molto utili all'uomo.

Un'altra grande scoperta è il tessuto.

Che cosa sono questi?
Questi sono vestiti.
I vestiti sono fatti di tessuto.

Una gonna. Una camicia.

La tessitura è una grande scoperta.
Ecco come si fa il tessuto.

Questi sono i fili.
Essi vanno da una parte all'altra del telaio.

Questi sono altri fili.

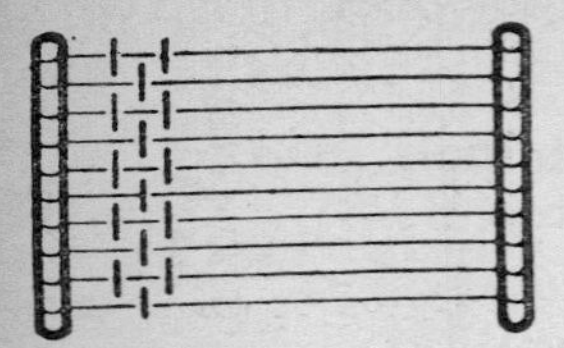

Questi attraversano i primi fili.

Essi passano sopra e sotto dei primi fili.

Questo è tessuto.

Noi facciamo vestiti col tessuto. Facciamo il tessuto con i fili.

Noi facciamo fili con la lana, con il cotone e con la seta.

La pecora ci dà la lana.

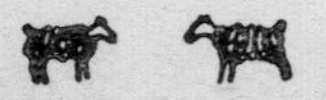

La lana è il vestito caldo della pecora.
Gli uomini tagliano la lana della pecora con le forbici.

Noi filiamo la lana della pecora e così abbiamo il filo per fare tessuti di lana.

La ruota gira.

Così si fila la lana.

Noi filiamo il cotone e così abbiamo il filo per fare i tessuti di cotone.

Questa è la pianta del cotone.

Questi sono semi diversi.

Le piante vengono dai semi di altre piante della stessa specie.

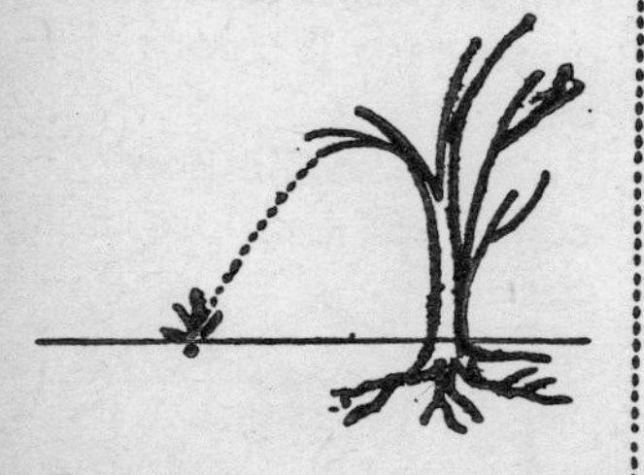

Il baco da seta ci dà la seta.

Il baco fila con la bocca un lungo e forte filo di seta.

I tessuti si fanno con la lana, il cotone e la seta. Noi facciamo vestiti con questi tessuti.

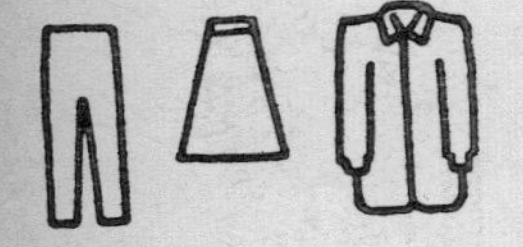

Quando fa freddo mettiamo vestiti di lana pesante e calda.
Quando fa caldo mettiamo vestiti leggeri di cotone.
I vestiti di cotone non sono tanto caldi quanto quelli di lana.

I vestiti pesanti ci tengono caldi.
Tengono più caldo dei vestiti leggeri.
Il tessuto pesante conserva l'aria tra i fili.

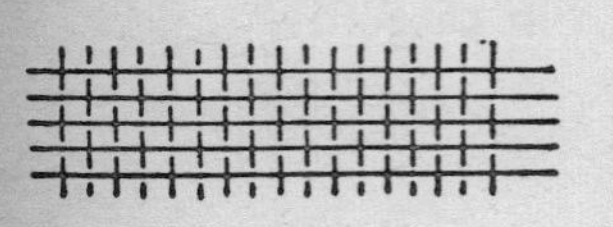

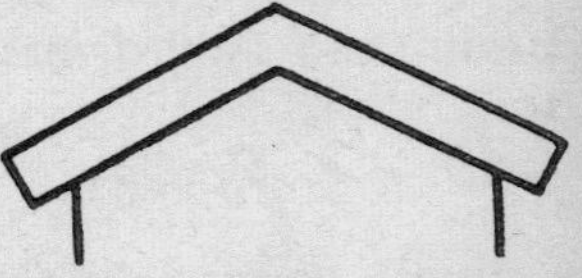

Un tetto spesso conserva il calore nella casa.
Attraverso il tetto spesso non passa il calore del sole.
Un tetto sottile non conserva il calore nella casa.

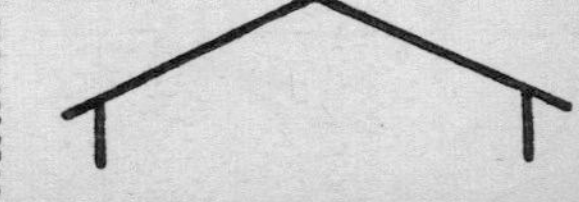

Ecco una matita.
È diritta. Non è storta.

Ecco un bicchiere
d'acqua.

Ho messo la matita
nell'acqua.

La matita sembra storta
quando entra
nell'acqua.

La matita è diritta, ma
sembra storta.

Sembra così.

Ma è così.

È diritta, non storta.
Sembra storta, non
sembra diritta.

Fuori dall'acqua la matita si vede diritta.

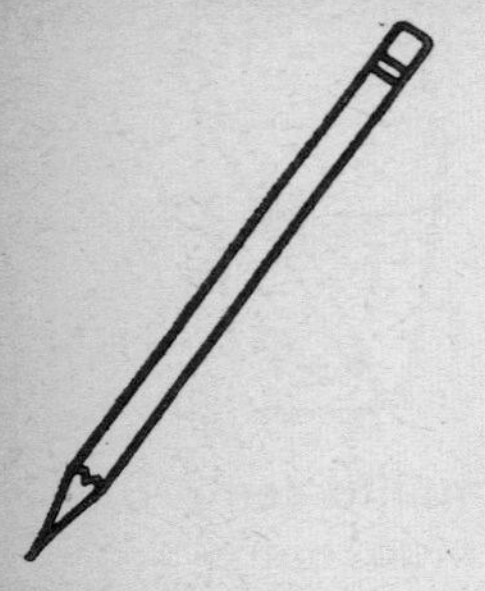

Nell'acqua la matita si vede storta.
Non è storta.

Quando è nell'acqua sembra storta.

Quando la matita è fuori dall'acqua si vede diritta.

Perchè sembrava storta quando era nell'acqua?

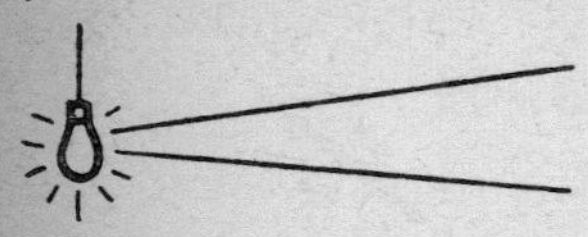

Questa è una lampadina.
La lampadina manda luce.
La luce va in linea diritta.

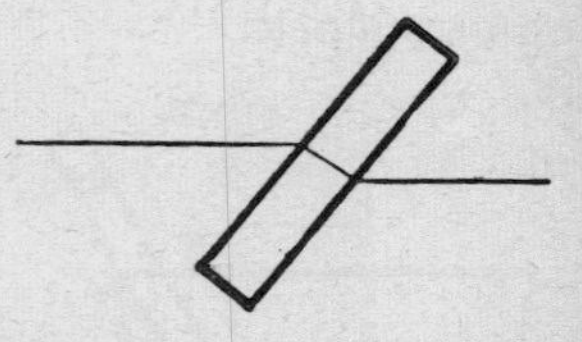

Eccó un pezzo di vetro.
Un raggio di luce attraversa il vetro.

Quando la luce va nel bicchiere, essa cambia direzione.

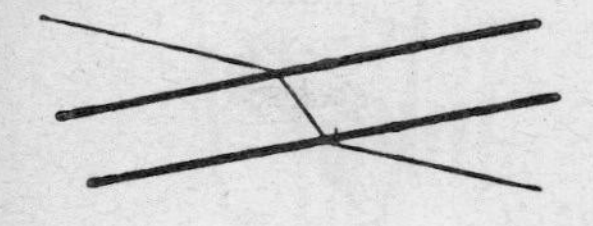

Cambia nuovamente direzione quando esce dal bicchiere.

Ecco un occhio.

L'occhio guarda la matita nel bicchiere pieno d'acqua.

La luce che viene dalla matita va fuori dall'acqua e cambia direzione.

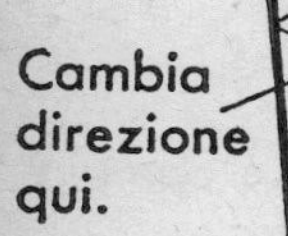

La matita non è storta. Ma è la luce che viene dalla matita che cambia direzione.

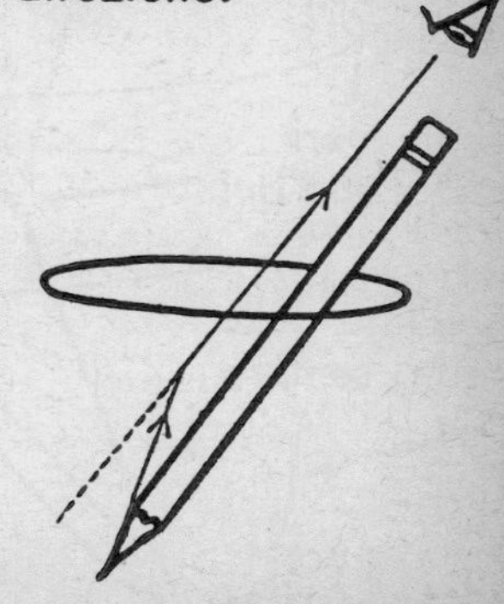

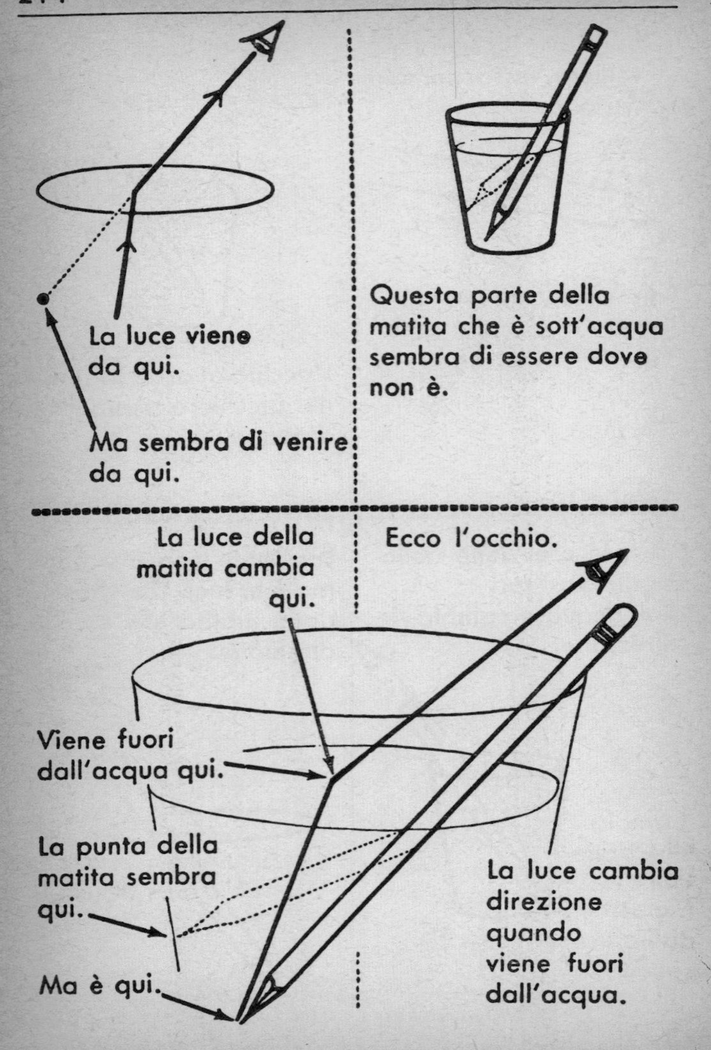
La luce viene
da qui.
Ma sembra di venire
da qui.
Questa parte della
matita che è sott'acqua
sembra di essere dove
non è.
La luce della
matita cambia
qui.
Ecco l'occhio.
Viene fuori
dall'acqua qui.
La punta della
matita sembra
qui.
Ma è qui.
La luce cambia
direzione
quando
viene fuori
dall'acqua.

Questo è uno specchio?

Che cosa vedi nello specchio?
Nello specchio, vedo una faccia di ragazza.

Ella si guarda nello specchio.
Che cosa vede ella nello specchio?
Ella vede sè stessa nello specchio.

Ella è da questa parte dello specchio.
Ma sembra di essere dall'altra parte dello specchio.

Perchè? Perchè lo specchio manda indietro la luce.

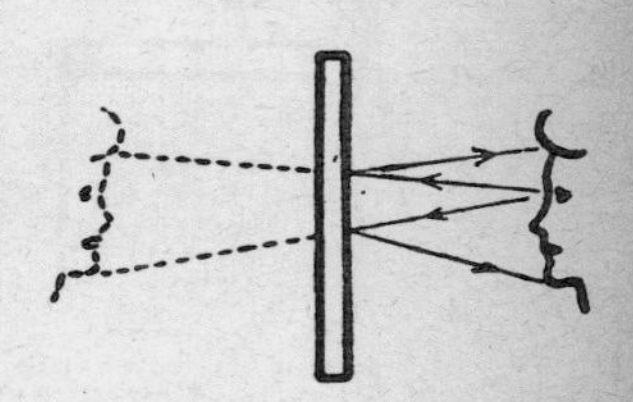

Sembrano due ragazze.
Ma ce n'è soltanto una.

Che cosa fa quest'uomo?
Egli lavora con la vanga.
Questo è il suo lavoro.

Che cosa fa questa donna?

Lavora con l'ago.
Questo è il suo lavoro.

Che cosa fa quest'uomo?
Egli fa le scarpe.
Egli è un calzolaio.
Questo è il suo lavoro.

Queste sono scarpe.

Questi sono stivali.

Egli fa gli stivali e le scarpe.
Questo è il suo lavoro.

Che lavoro fa quest'uomo?
Egli vernicia la porta.
Egli è un verniciatore.
Questo è il suo lavoro.

Questa è la vernice.

Questo è il pennello.

Egli vernicia con il pennello.

$$\begin{array}{r}2\\2\\\hline 4\end{array}\quad\begin{array}{r}3\\7\\\hline 10\end{array}\quad\begin{array}{r}14\\26\\\hline 40\end{array}$$

Queste sono tre addizioni.

Il ragazzo fa l'addizione.
Questo è il suo lavoro.

$\begin{array}{r}15-\\7=\\\hline 8.\end{array}$ Questa è una sottrazione.

$\begin{array}{r}12\times\\4=\\\hline 48.\end{array}$ Questa è una moltiplicazione.

$45 \div 5 = 9.$

Questa è una divisione.

Queste sono le quattro operazioni.

Questa è una banca.

Questo è un assegno.

BANCA D'ITALIA
CINQUEMILA LIRE
LIRE -------- 5.000
Sig. Giovanni Bianchi

Noi portiamo il denaro alle banche.
Le operazioni di banca sono molto importanti.
Uomini e donne lavorano nelle banche. Tengono la contabilità.

Questo è un libro di contabilità.

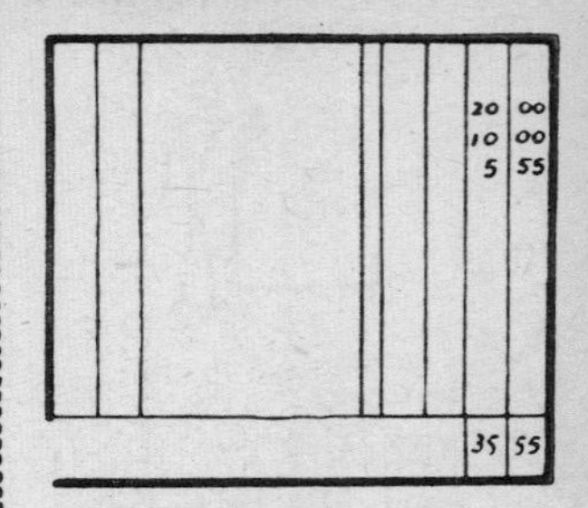

Tenere la contabilità è un lavoro importante.

Tenere la contabilità è un lavoro.

Questi sono libri di contabilità.

L'agricoltura è un altro genere di lavoro.

Questa è una fattoria.

Questo è un carro.

Questo è un aratro.

Il contadino ara la terra con l'aratro.

Questo è un campo.

Il contadino ara il campo.
Questo è un lavoro da contadino.

Il contadino ha un libretto di assegni della sua banca.
Egli porta il suo denaro alla banca.
Egli conserva il suo denaro nella banca.
Egli prende il denaro dalla banca.

Questo è un libretto di assegni.

Il suo libretto di assegni mostra quanto egli ha in banca. L'agricoltura e la contabilità sono due generi diversi di lavoro.

Che lavoro fa quest'uomo?
Taglia la legna.

Che lavoro fa questa donna?
Ella lava calze e vestiti.

Che lavoro fa quest'uomo?
Egli ha un negozio.
È un negozio di frutta.
È un fruttivendolo.
Egli vende frutta.

Che lavoro fa questa donna?
Fa i lavori di casa.
Questa è la sua casa.
Ella è donna di casa.

La famiglia di Paolo
non ha denaro.
Essa è povera.

Egli vende giornali.
Questo è il suo lavoro.

La famiglia di Giovanni
ha denaro.
Essa è ricca.

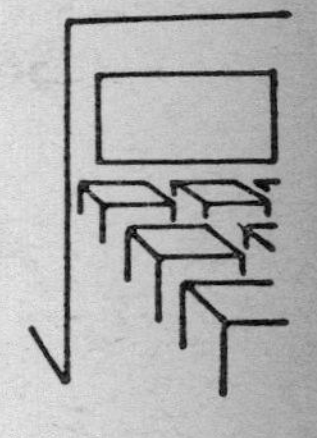

Egli va a scuola.

Paolo non vende giornali
la domenica; ma li vende
dal lunedì al sabato.
Egli lavora dal lunedì
al sabato.

Ogni sabato l'uomo gli
dà del denaro per il suo
lavoro.

Giovanni ha denaro per
comprare libri, matite,
penne e quaderni.

Di tanto in tanto egli
riceve denaro dal padre.

Paolo venderà giornali domani?
No, egli non venderà giornali domani perchè è domenica.

SUA FAMIGLIA

Domani egli non lavorerà.
Sarà a casa con la sua famiglia.

Che cosa fa a scuola Giovanni? A scuola egli impara. Egli va a scuola dal lunedì al sabato, ma non la domenica.

È a casa con la sua famiglia.

Paolo ha venduto giornali tutta la settimana. Ha lavorato per una settimana.

Oggi sabato egli dà il denaro alla sua famiglia.

Giovanni va a scuola ed impara, ma non riceve denaro per il suo lavoro.
Egli non darà denaro alla sua famiglia.
Vendere giornali, insegnare ed imparare sono diversi modi di lavorare.

Qual'è il lavoro delle dita?
Che cosa fanno le dita?
Il loro lavoro è quello di toccare.

Quelle dita toccano la copertina di un libro.
Toccare ci dà la sensazione di vedere quando i nostri occhi sono chiusi,

o quando guardiamo in un'altra direzione,

o quando non possiamo vedere.

Il lavoro più importante delle dita è toccare.
Ecco un uomo che non può vedere.

Questo è un libro Braille che egli ha davanti a sè.
Egli legge il libro con la punta delle dita.

Le lettere Braille e le parole sono così.
Egli le tocca con la punta delle dita.

L'altro uomo legge con gli occhi.
Egli non legge con la punta delle dita.

Che cosa ha sul naso?
Ha gli occhiali.

Che cosa fanno gli occhi? Qual'è la funzione degli occhi?

Vedere. La loro funzione è vedere.

Qual'è la funzione degli orecchi?

Udire. La loro funzione principale è udire.

Qual'è la funzione delle gambe?

Camminare. Camminare è la loro funzione principale.

Qual'è la funzione della bocca?

Parlare e mangiare sono le funzioni principali della bocca.

Questo è parlare.

Questo è mangiare.

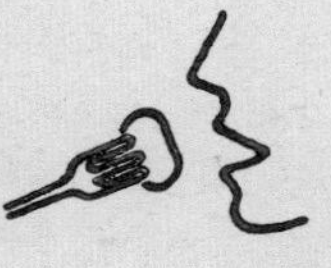

Qual'è il lavoro delle mani?
Esse prendono, danno e toccano le cose.
Noi facciamo tanti lavori con le mani.

DOMANDE

a. C'è più acqua nel mare che nel fiume?

b. Quali sono tre grandi scoperte?

c. Che cos'è la lana? Che cos'è il cotone? Chi ci dà la seta?

d. Perchè sono più caldi i vestiti pesanti?

e. Qual'è la principale funzione degli occhi, degli orecchi, della bocca e delle dita?

f. Quale mezzo di trasporto va sulle ruote?

g. Da dove viene la fiamma? Da dove viene il vapore?

h. Dove prendiamo il legno?

Le risposte a pagina 228.

CHE SONO QUESTE COSE?

a.

b.

c.

d.

e.

f.

g.

h.

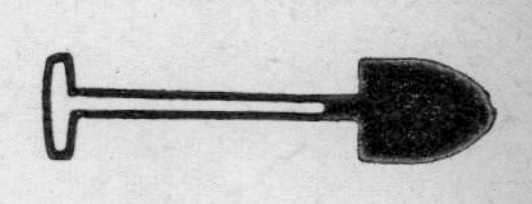

i.

j.

Le risposte a pagina 228.

Le risposte alle domande a pagine 226-227.

Pagina 226

a. Sì, c'è più acqua nel mare che nel fiume.

b. Il fuoco, la ruota e la tessitura.

c. La lana è il vestito della pecora. Il cotone è il frutto della pianta del cotone. Il baco da seta ci dà la seta.

d. I vestiti pesanti sono più caldi perchè conservano il calore del nostro corpo.

e. La funzione principale degli occhi è vedere, degli orecchi è udire, della bocca è mangiare e parlare, delle dita è toccare.

f. I carri, le carrozze, le automobili ed i treni vanno sulle ruote.

g. La fiamma viene dal fuoco. Il vapore viene dall'acqua calda.

h. Prendiamo il legno dagli alberi.

Pagina 227

a. un carro

b. un aratro

c. uno stivale

d. uno specchio

e. una gonna ed una camicia

f. una ruota

g. un fuoco

h. una vanga

i. un tessuto

j. un ombrello

La vista, l'udito ed il tatto sono tre dei nostri sensi. Noi impariamo perchè vediamo con gli occhi, udiamo con gli orecchi, tocchiamo con la punta delle dita.

Un altro senso è il gusto.

Questa è la lingua dell'uomo.

Queste sono le sue labbra.
Questo è il suo mento.

Una delle funzioni principali della lingua è quella di gustare.

Ecco della polvere bianca in un piatto.
Può essere zucchero, o può essere sale.
Che cos'è: zucchero o sale?

Ella assaggia la polvere.
Ne ha un poco sul dito.
Ella mette un poco di polvere sulla lingua.
L'assaggia.

Il mare ci dà il sale:
la sua acqua è salata.

Otteniamo il sale anche
dalle miniere di sale.
Alcune miniere sono
molto profonde.

Noi otteniamo lo
zucchero da alcune
piante.

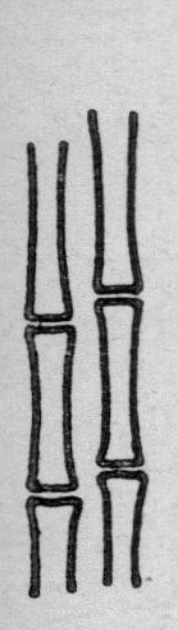

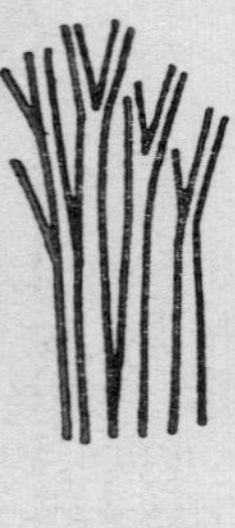

Otteniamo lo zucchero
anche dalle radici di
altre piante.

Il sale e lo zucchero
che noi mettiamo nei
nostri cibi sono due
polveri bianche.

Il sapore dello zucchero è dolce.

Questa è una torta; sopra ha dello zucchero.
Le torte con lo zucchero sono molto dolci.

Questa è un'arancia.

Questa è la sua buccia.

Alcune arance sono dolci, ma il sapore delle loro bucce é amaro.

Il sale ha un sapore salato.
Lo zucchero ha un sapore dolce.
A vederli, sale e zucchero, sembrano la stessa cosa.

Ma sono differenti di sapore.

Sale

Il loro sapore è molto differente.

Zucchero

Qual'è la funzione del naso?
Che cosa facciamo noi col naso?
Ella ha un fiore in mano.
Ella odora un fiore.

Alcuni fiori hanno un buon odore.
Altri fiori non hanno odore.

Questa è erba.
Questi fiori sono in un giardino.
Essi hanno un buon odore.

Questi sono maiali.
Alcuni maiali sono molto sporchi.
Alcuni altri sono puliti.
L'odore dei maiali sporchi non è buono.
È un cattivo odore.

Questo è fumo.

Questo è fuoco.

C'è del fumo che ha buon odore.

Egli fuma la pipa.
È buono l'odore del fumo della pipa?

Noi vediamo gli oggetti coi nostri occhi e ne vediamo i colori. Ecco alcuni nomi di colori:

verde	rosso
azzurro	giallo
bianco	grigio

Qual'è il colore dell'erba e delle foglie a primavera?

L'erba e le foglie a primavera sono verdi.

Qual'è il colore delle labbra di questa ragazza?

Le sue labbra sono rosse.

Il cielo è azzurro.

Il colore di alcune nuvole è bianco.
Alcune altre sono grigie.

Il sole è giallo.

Quando tramonta o sorge è rosso.

Questa fiamma è gialla.

Vediamo gli oggetti coi nostri occhi.
Vediamo anche i colori delle cose.
Le cose sembrano ai nostri occhi più grandi o più piccole di quanto sono.
Esse non sono sempre come sembrano.

Quest'uomo è alto.

Quest'uomo è basso.

Questa è una donna alta.

Questa è una donna bassa.

Ecco due uomini.
Sembrano essi della stessa statura?

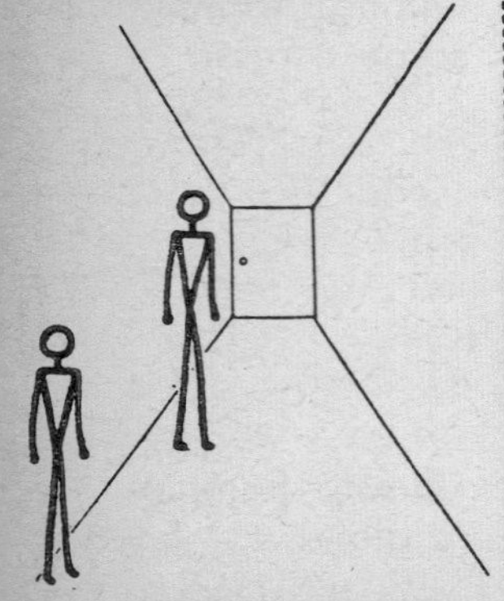

Quale di essi sembra più alto?
L'uomo lontano sembra più alto di quello vicino?

La loro statura è la stessa.
L'uomo lontano sembra più alto a causa delle linee che sono nella figura.

La vista, l'udito, il tatto, il gusto e l'odorato sono i "cinque sensi."

Il tatto ci dà la sensazione del caldo e del freddo.

Ecco dell'acqua fredda con del ghiaccio.
È freddissima (molto fredda).

Ecco dell'acqua in un recipiente.
L'acqua bolle.
Il vapore esce dal recipiente.
L'acqua quando bolle è molto calda (caldissima).

Ecco tre recipienti.
Nel recipiente a destra c'è dell'acqua caldissima.
Nel recipiente a sinistra c'è dell'acqua freddissima.
Nel recipiente al centro c'è dell'acqua che non è nè calda nè fredda.

Adesso le metto insieme nel recipiente al centro dove l'acqua non è nè fredda nè calda.

Io metto le mani nei due recipienti ai lati.
Una delle mie mani è nell'acqua fredda;
l'altra è nell'acqua calda.
Le tengo così per breve tempo.

Quest'acqua sembra calda ad una mano e fredda all'altra.
È la stessa acqua. Ma sembra calda e fredda allo stesso tempo.

Perchè:
Perchè prima ho messo una mano nell'acqua fredda e l'altra nell'acqua
calda, e dopo le ho messe nel recipiente al centro.

Ecco una sedia che gira su sè stessa.

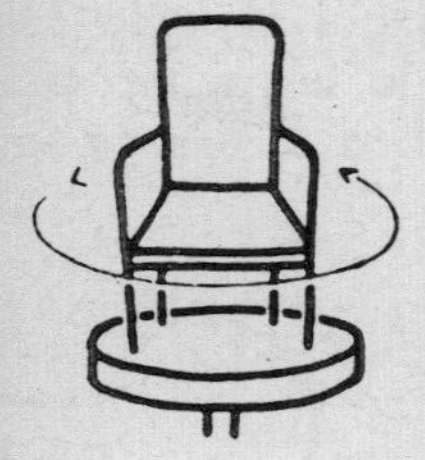

Un uomo è sulla sedia. Egli gira su sè stesso.

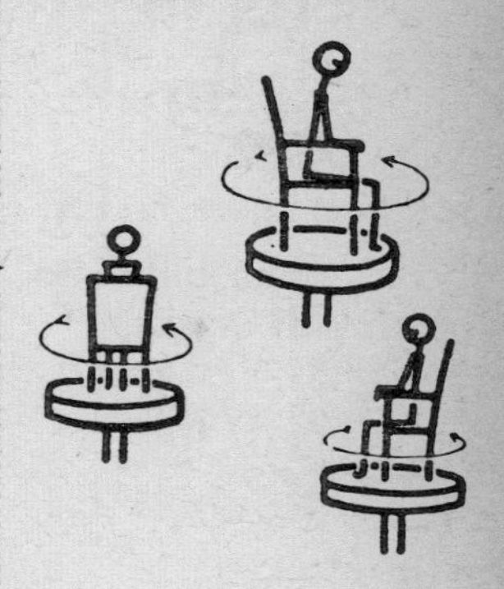

Prima egli ha la sensazione del movimento.
Poi ha la sensazione di girare su sè stesso.
L'uomo sulla sedia gira sempre alla stessa velocità.
La velocità non cambia.

Dopo un poco l'uomo ha la sensazione di non essere più in movimento.
Ma non c'è cambiamento nella velocità della sedia.
Gira alla stessa velocità.

Egli è come tutti gli uomini e le donne sulla terra
Tutti noi giriamo sempre con la terra, ma ci sembra di essere fermi.

Dopo un poco all'uomo sembrerà di essere fermo.

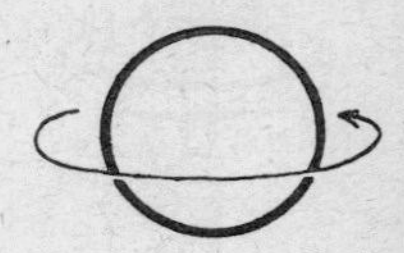

Non abbiamo la sensazione di girare, perchè il numero dei giri è sempre lo stesso.
L'uomo gira, ma gli sembra di essere fermo.

Ecco tre ragazzi ed un cane.
Due di essi sono fermi, l'altro ragazzo e il cane si muovono.
Essi si muovono.

Adesso la sedia è ferma.
Anche l'uomo è fermo.

Egli ha la sensazione di girare su sè stesso.

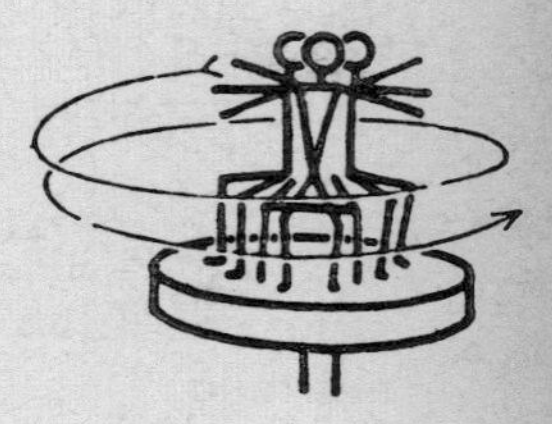

Questa è la sua sensazione.

Egli non gira più.
Ma gli sembra di girare ancora; tutto intorno a lui sembra girare.
Perchè?

Perchè egli prova la sensazione di girare anche dopo che la sedia è ferma.

Che cosa fa?
Egli lavora col martello.

Questo è il suo martello.

Questi sono chiodi di diversa lunghezza.

Egli mette il coperchio ad una scatola.
Con il martello egli mette i chiodi nel coperchio della scatola.

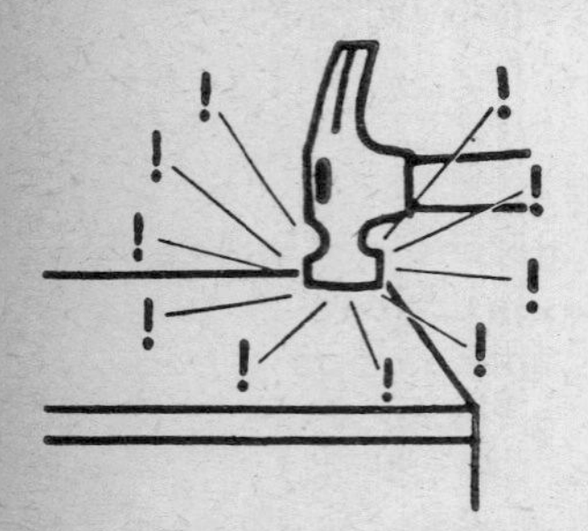

Il martello fa rumore.
Esso fa molto rumore.

Maria si mette le mani sugli orecchi.
Ella dice: "Che rumore!"

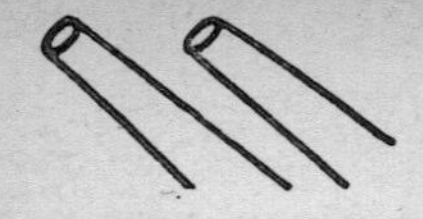

Alcuni rumori sono forti.
Queste sono armi.
Le armi fanno molto rumore.
Quelle armi fanno più rumore di queste.

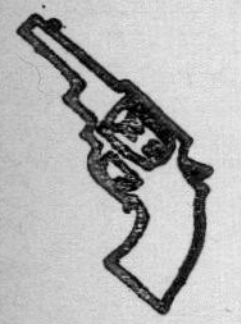

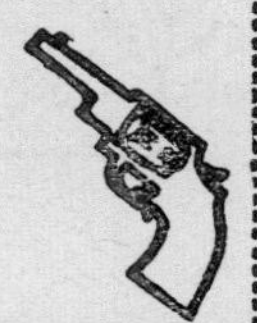

Che cos'è questo?
È un fischietto.
È un fischietto a vapore.
Fa molto rumore.

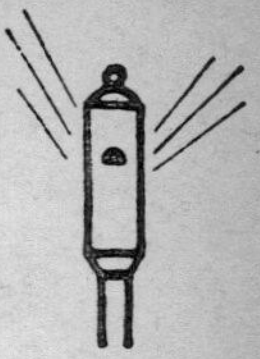

Il ragazzo ha un fischietto da tasca.
Egli fa poco rumore.

Questa è musica.

Questa è una canzone.

Queste sono note musicali.

Questa è una nota alta.

Questa è una nota bassa.

Questa è una montagna molto alta.

Queste sono montagne alte.

Questo è un edificio alto.
È una chiesa.

Questo è un edificio basso.

Rumori e canzoni sono suoni.
Come vengono i suoni al nostro orecchio?
I suoni vengono al nostro orecchio sulle onde dell'aria.

Queste sono le onde di una corda.
Un'estremità della corda è legata all'albero.
Il ragazzo tiene l'altra estremità in mano.
Il ragazzo muove la corda su e giù.

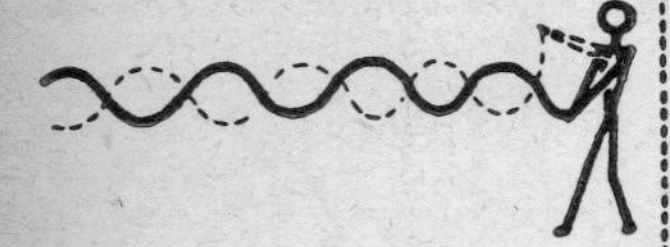

Con ogni movimento egli manda un'onda dalla corda all'albero.

Il movimento delle onde muove in giù la parte dell'aria che è di sopra, ed in su quella che è di sotto.

Queste sono le onde dell'aria.
Esse vengono ai nostri orecchi.
Le onde dell'aria attraverso gli orecchi, vanno al cervello:
così noi udiamo i suoni.

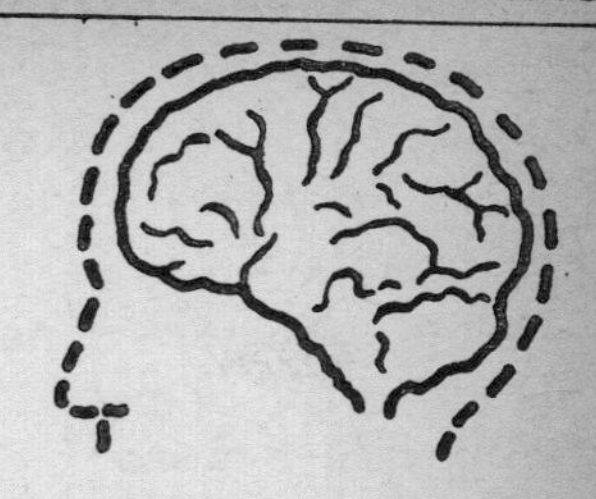

Ecco un cervello.
È il cervello di un uomo.
L'uomo non può udire, toccare, vedere, odorare o gustare senza il cervello.

In questa tazza c'è dell'acqua.

In questo secchio ce n'è di più.

Nel mare ce n'è ancora di più.

Gli animali sono intelligenti.

Il cavallo è intelligente.

La scimmia è più intelligente del cavallo.

L'uomo è il più intelligente degli animali.

Io ho venti lire.
Ella ha duecento lire.
Egli ha mille lire.

Egli ha più denaro di me.
Ella ne ha più di me.
Egli ha più denaro
di tutti.

Io ho meno denaro di lui.
Ne ho meno di lei.
Io ne ho meno di tutti.

L. 20

L. 200

L. 1000

Questa è la nota
musicale più alta.

Questa è
una nota
più bassa,

ma è più alta
di questa nota.

Quale è la nota
musicale più bassa
delle tre?

L'agricoltura è un
lavoro importante.

È più importante delle
operazioni di banca?

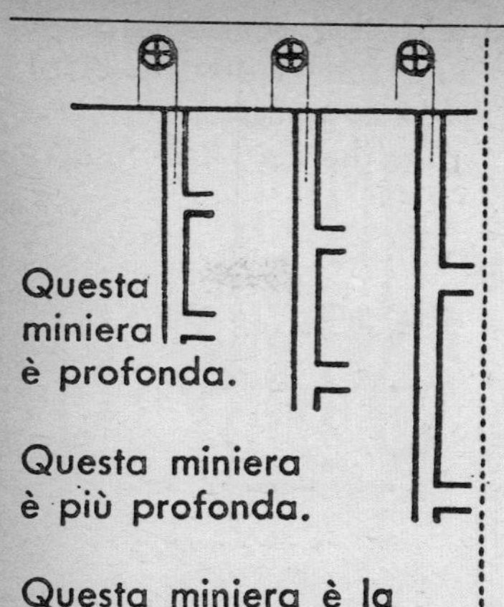

Questa miniera è profonda.

Questa miniera è più profonda.

Questa miniera è la più profonda delle tre.

In questo piatto c'è del sale.

In questo piatto ce n'è di più.

In questo piatto ce n'è ancora di più.

Vi è più sale che in tutti gli altri piatti.

Questo è un buon libro.

Questi sono altri due buoni libri.

Uno di essi è migliore degli altri.
È il migliore libro dei tre.
È un libro molto buono; è ottimo.

Questo tempo è cattivo.

Questo tempo è (più cattivo) peggiore.

Questo tempo è il peggiore.
È un tempo molto cattivo; è pessimo.

Ella si guarda allo specchio.
Ogni giorno ella si guarda allo specchio.

Ogni volta che vede uno specchio ella si guarda. Perchè?

Perchè guardarsi allo specchio le dà piacere.
Ella è bellissima.
Ella vede che è bellissima.

Guardarsi allo specchio non gli dà piacere.
Perchè? Perchè egli è brutto.
Egli si guarda. È bello?
No, egli è brutto.
È bruttissimo.

Piacere? Che cos'è il piacere?
E il dolore, che cos'è?

"Metta il suo dito sulla fiamma."
"No, non lo metterò."
"Perchè no?"
"Perchè mi fa male."

"Questo è un chiodo.
Metta l'unghia del dito sopra questo chiodo sotto il martello."

"No, non lo farò.
So cosa vuol dire il dolore."
Il dolore è una sensazione.

Il piacere è l'opposto del dolore.
Buono è l'opposto di cattivo.

Buon tempo: La giornata è luminosa. L'aria è calda.
Il cielo è azzurro.
Essi sono felici.

Cattivo tempo: C'è vento.
Piove. È freddo.
Essi sono tristi.

Luminoso è l'opposto di oscuro.

Caldo è l'opposto di freddo.

Bianco è l'opposto di nero.

Quale è l'opposto di bello?
Quale è l'opposto di felice?

Quale di questi edifici è il più alto?
Com'è l'altro?

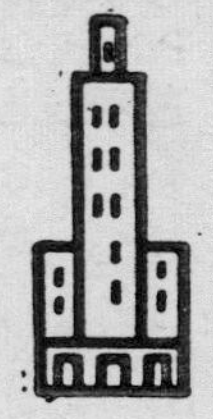

Qual'è l'opposto di stretto?
È stretta questa strada?

Sopra è l'opposto di sotto.

Dentro è l'opposto di fuori.

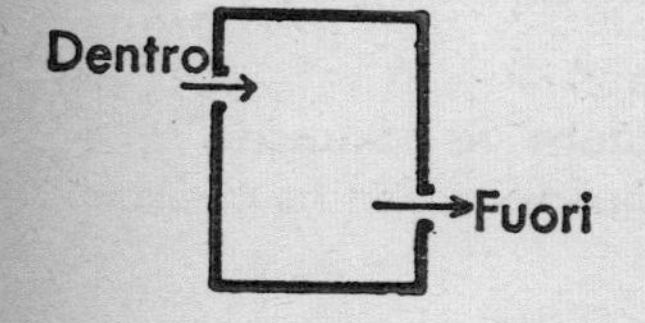

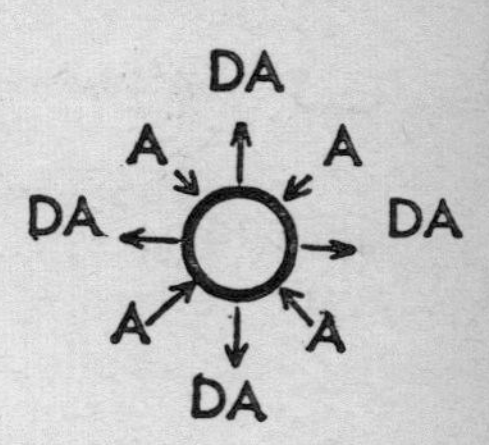

A è l'opposto di da.

Il piacere è l'opposto del dolore.

Le cose belle ci fanno piacere.

Quando ella si guarda allo specchio, vede che è bella.
Questo le fa piacere.

Quando io le dico che è bella, le faccio molto piacere.

Un sorriso è sulle sue labbra.

Perchè sorride?

Sorride perchè ha una sensazione di piacere.
Il suo piacere è la causa del suo sorriso.
Ella dice: "Sono bella."

Ella dice a sè stessa che è bella.

Il sorriso non fa rumore.
Il riso fa rumore.

Ridere fa rumore.
Sorridere non fa rumore.

Questo è un grande quadro di Leonardo.

Il nome della donna è "Mona Lisa."

Il quadro è bellissimo. Questo è certo.

Era bella la donna? Era molto bella Mona Lisa? Questo non è certo.

Io ho la mia idea della bellezza.

Egli ha la sua idea.

Le nostre idee della bellezza sono diverse.

La bellezza non si misura.

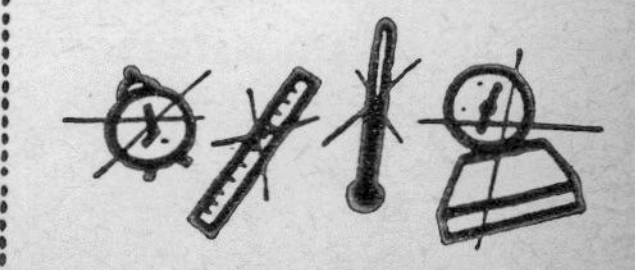

Ella può essere e può non essere bella.
Ma è certo che ha un sorriso sulle labbra.
Questo è certo.

È bella? Non è certo.

$2 + 2 = 4$
Due più due è uguale a quattro.
Questo è certo.

$2 + 2 \neq 5$
Due più due non è uguale a cinque. Questo è certo.

È certo che $2+2=4$

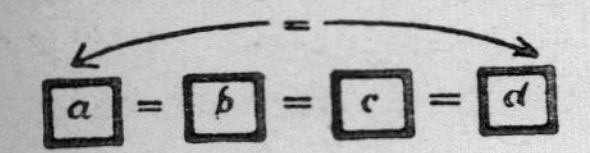

a è uguale a b, e b è uguale a c, e c è uguale a d.

Così a è uguale a d.

Le cose che sono uguali ad una stessa cosa sono uguali tra loro.

Le cose possono sembrare uguali e non esserle.

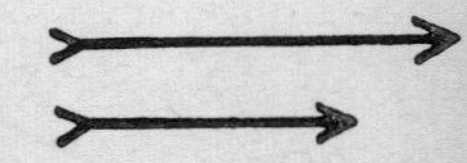

Queste due figure sembrano uguali, ma non lo sono.

Sorridere non è uguale a ridere, perchè, quando rido, faccio rumore.

Questa ragazza ride.
Ella è felice.

Adesso è caduta. Ella piange. Piange. Ella non ride. Ella piange. Perchè?

Perchè è caduta e si è fatta male al ginocchio.

Questo è il suo ginocchio.

Era in piedi.

Dopo è caduta a terra.

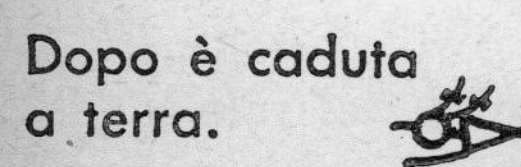

La caduta è la causa del dolore al ginocchio.

Il dolore al ginocchio è la causa del suo pianto.

Piacere e dolore sono sensazioni.
Noi abbiamo le sensazioni del piacere e del dolore.
Ecco alcuni piaceri.

Egli è sulla spiaggia, guarda il mare, ode il rumore delle onde, sente il calore del sole.
Questi sono piaceri.
Sono sensazioni piacevoli.

Adesso fa un bagno di mare.

Egli nuota tra le onde.
Egli è un buon nuotatore.

Per un buon nuotatore, nuotare è un piacere.

Dopo aver nuotato egli è nuovamente al sole.

Egli è fuori dell'acqua, il calore del sole gli fa piacere.

Il piacere ed il dolore sono sensazioni.

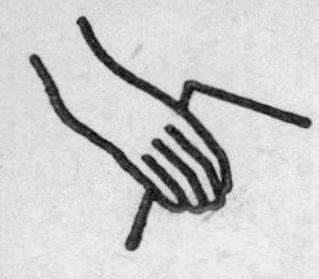

Quando mettiamo le nostre dita sulle cose noi sentiamo: sentiamo col tatto il caldo ed il freddo.
Il tatto è uno dei nostri cinque sensi.

L'uomo tocca un pezzo di legno con le dita e sente se è ruvido o se è liscio.

Questo è ruvido.

Questo è liscio.

Le cose che ci fanno piacere hanno una attrazione per noi.
Questa attrazione non è uguale a quella che c'è tra la terra e la luna.

Quest'attrazione si chiama "desiderio."

Quando noi abbiamo sentito il piacere lo desideriamo ancora.
I nostri desideri possono cambiare.

Alcuni desideri sono più forti di altri.
Questo bambino vede il gatto e vede la sua palla.

Il gatto lo attrae.
Egli desidera andare dal gatto.

Anche la palla lo attrae.
Egli desidera avere la palla.

Se il suo desiderio per il gatto è più forte di quello per la palla, egli andrà dal gatto.

Egli è andato dal gatto.
Il suo desiderio per il gatto era più forte.

Noi desideriamo le cose che ci sembrano buone.
Esse possono anche essere cattive. Noi possiamo sbagliare.

Per imparare noi
facciamo domande.

Questo è un modo di
imparare.

Dalle risposte noi
possiamo imparare
oppure no.

Quando le risposte sono
giuste, noi impariamo.

$$2 + 2 = 4$$

Le risposte possono
essere anche sbagliate.

$$2 + 2 = 5$$

Quanto è lontano il
sole dalla terra?

Il sole è lontano
due chilometri?

È molto più lontano
di due chilometri?

Qual'è la risposta
giusta?

Qual'è la risposta
sbagliata?

Qual'è la sua mano
destra?

Qual'è la sua mano
sinistra?
Egli è di fronte.
Ora egli è di spalle.

Qual'è la sua mano
sinistra, e qual'è la sua
mano destra?

Noi impariamo attraverso i nostri sensi. I sensi dell'uomo sono cinque: vedere, udire, toccare, gustare e odorare.

I sensi ci danno le sensazioni.

L'uomo vede una mela.

La donna ode il rumore del treno.

Il bambino tocca la mano della madre.

La ragazza gusta il latte della mucca.

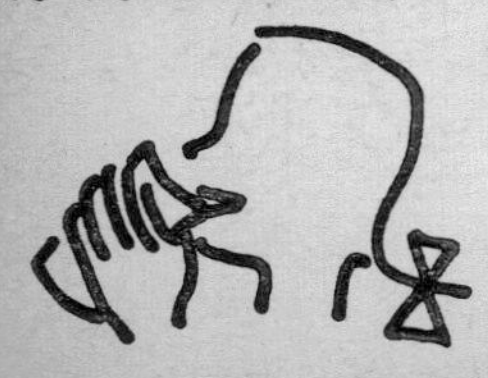

Il ragazzo odora il fiore.

Le idee ci vengono dalle sensazioni.

Noi impariamo in diversi modi attraverso i nostri sensi.

Impariamo anche quando parliamo con altri uomini, e quando li ascoltiamo.

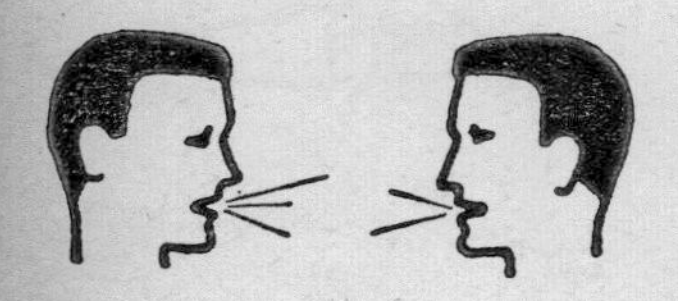

"Quale è la strada per andare alla stazione?" "È la prima a destra."

La stazione.

La strada per la stazione.

Quest'uomo non sapeva come andare alla stazione. Adesso lo sa.

Impariamo quando lavoriamo con le nostri mani, quando leggiamo libri e quando sappiamo ascoltare bene.

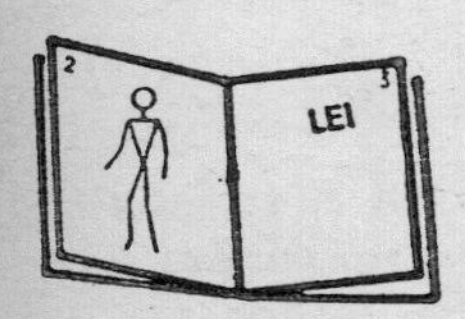

Questi sono tutti mezzi per imparare.

Il sapere è molto utile ed importante.
L'uomo che sa è utile a sè stesso e agli altri.
È importante imparare e sapere tante cose per essere più utili agli altri.

Questo è un ragazzo.

Egli sarà un uomo.

Era un bambino.

Adesso ha dodici anni.

Egli va a letto alle ore 20 ogni sera.

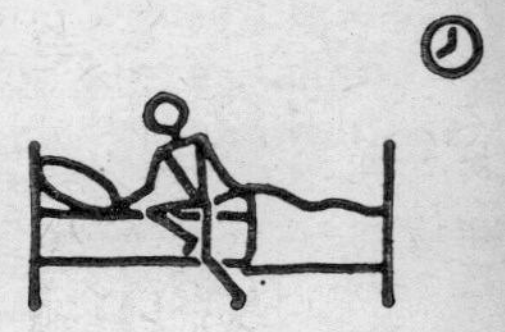

Egli si alza ogni mattina alle sette.

Egli si alza dal letto e si lava.

Egli si mette la giacca.

Egli dice: "Buon giorno" a sua madre ed a suo padre e si siede a tavola.
Adesso tutta la famiglia è seduta a tavola.

A scuola vede i suoi amici e fa il suo lavoro.

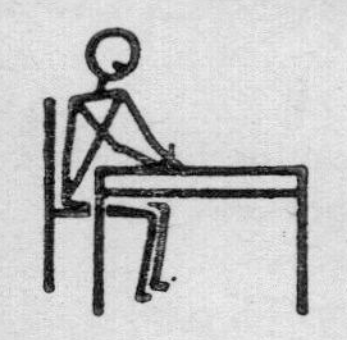

Egli ascolta attentamente prima di scrivere.

Egli sa che quando ascolta attentamente, impara e scrive bene.

Dopo la scuola egli prende la palla e la getta lontano.

Prendere e gettare la palla è uno sport che fa bene ai ragazzi

Adesso va a casa.

Eccolo nuovamente in famiglia.

INDEX

(The number after each word indicates the page of the text on which the word first occurs. More than one page reference means that the word has different grammatical uses or variations in meaning.)

A

M

N

O

P

T

U